4.95

Méditation

UNE MÉTHODE SIMPLE POUR LUTTER CONTRE LE STRESS ET RETROUVER L'HARMONIE

Lorraine Turner

Réalisation : InTexte Édition, Toulouse

Traduction de l'anglais : Marie-Line Hillairet, avec le concours de Nicolas Blot

ISBN-10 : 1-40547-795-4

ISBN-13 : 978-1-40547-795-6

Imprimé en Chine

AVERTISSEMENT

Aucune des informations contenues dans cet ouvrage ne peut se substituer à un avis médical. Toute personne dont l'état de santé est susceptible de le nécessiter doit consulter un médecin généraliste ou spécialiste avant d'exécuter tout exercice décrit dans ce livre.

sommaire

Introduction

Depuis des milliers d'années, l'homme, dans sa quête d'harmonie intérieure, pratique la méditation. Les principales religions, dont le bouddhisme, l'islam, l'hindouisme et le christianisme, l'utilisent dans leurs enseignements pour accéder plus aisément à la clairvoyance spirituelle. La méditation améliore la concentration, augmente la conscience de soi et permet de combattre le stress en aidant à se détendre et à affronter les situations difficiles. Elle favorise également une meilleure entente avec les autres. Souvent l'on recourt à la méditation pour conforter son bien-être physique et mental, pour surmonter la dépression, l'accoutumance à la drogue, à la caféine ou à l'alcool.

Le Bouddha, parvenu à la clairvoyance par la méditation, a consacré le reste de sa vie à enseigner aux autres ce qu'il avait appris.

Le contrôle de l'esprit

Il est indéniable que l'esprit, par ses capacités d'analyse, de discernement, d'organisation et de communication, nous a permis d'atteindre le stade de développement qui est le nôtre aujourd'hui. Pourtant, il se révèle parfois une arme à double tranchant. Bien que le cerveau nous aide à raisonner, à penser de manière créative et à entrer en contact avec autrui, il risque de nous dominer si nous n'apprenons pas à le désactiver. Il peut nous harceler de peurs : de l'échec, de notre apparence ou de l'opinion que les autres ont de nous. La méditation a le pouvoir d'apaiser ces angoisses en réduisant au silence ces bavardages intérieurs, par l'identification et l'élimination des pensées négatives, par la création d'une sensation de paix et de sérénité.

« Tout ce dont vous avez besoin est au tréfonds de vous-même, prêt à s'épanouir. Restez serein, prenez le temps de chercher ce qui est en vous et vous finirez par le trouver. »
EILEEN CADDY

Les bienfaits sur la santé et le travail

Les études cliniques menées sur les effets de la méditation sont encourageantes ; elles révèlent une diminution des migraines, de l'insomnie, des colites, du syndrome prémenstruel, des crises d'angoisse et de panique, du taux d'hormones du stress, de la pression artérielle, ainsi qu'une amélioration de la circulation sanguine. Elles montrent également que la méditation aide à contrôler les rythmes cardiaque et respiratoire, mais aussi à augmenter les performances et la satisfaction professionnelles. Aussi, les médecins commencent à reconnaître ses vertus thérapeutiques ; certains prescrivent même des exercices de méditation et de relaxation à leurs patients pour soulager les maux dus au stress.

La méditation est accessible à tous.

La méditation pour tous

Aujourd'hui, la méditation n'est plus l'apanage des mystiques, yogis et philosophes. Son efficacité est reconnue par maints individus ou groupes renommés, dont des vedettes comme les Beatles, Tina Turner et Richard Gere. Pour méditer, nul besoin d'être croyant ou de disposer de beaucoup de temps ; en outre, l'âge n'a aucune importance. Si vous voulez apprendre à maîtriser le stress, à mieux vous comprendre ou à augmenter votre sensation de bien-être, les pages qui suivent vous sont spécialement destinées.

Nous progressons grâce au pouvoir de notre esprit, mais nous devons apprendre à le contrôler.

CHAPITRE I : LES FONDEMENTS

Qu'est-ce que la méditation ?

La méditation va au-delà de la simple relaxation. Lors d'un exercice de relaxation, l'esprit vagabonde sans contrôle ; à l'inverse, lors d'un exercice de méditation, l'esprit reste vigilant et concentré. En recourant à la méditation pour contenir les errances de l'esprit, nous pouvons accéder à une conscience totale et vivre les choses comme elles sont en réalité.

Pratiquer la méditation

La méditation, méthode de contrôle de l'esprit qui a depuis longtemps fait ses preuves, se pratique de diverses manières. En fait, il existe une multitude d'exercices ; bon nombre d'entre eux débutent par une phase de relaxation, puis incitent l'esprit à se concentrer sur un sujet unique. À chaque tentative de divagation, celui-ci est, doucement mais fermement, réorienté vers son centre d'intérêt.

Dans un premier temps, l'on éprouve souvent de la difficulté à faire ce travail – il en va surtout ainsi de ceux qui ont l'habitude de laisser leur esprit vagabonder sans contraintes. Toutefois, au prix d'un minimum de persévérance, la plupart d'entre nous sauront surmonter ce premier handicap. Même en ne méditant que quelques minutes chaque fois, mais de façon régulière, vous obtiendrez rapidement des résultats probants. La méditation n'est pas une activité laborieuse ; bien au contraire, elle doit être agréable. Commencez par lui consacrer au moins cinq minutes par jour et rapidement, vous vous surprendrez à attendre avec impatience ces moments de rencontre avec vous-même et à les apprécier.

La méditation se pratique de diverses manières. Certains exercices exigent que l'on se concentre sur un objet particulier, comme

La méditation s'exerce de multiples manières ; même de courte durée, elle peut vous faire ressentir les choses différemment.

une feuille ou un son. D'autres utilisent la mélopée, la mise en sommeil ou l'épanouissement des sens ; d'autres encore font appel à un concept comme l'amour, la colère ou le vieillissement. Libre à vous de mélanger différentes méthodes et approches. Par exemple, concentrez-vous sur votre respiration et méditez ensuite sur la nature de l'amitié.

Rééquilibrer

La méditation permet de restaurer l'équilibre entre les hémisphères gauche et droit du cerveau. L'hémisphère gauche a trait à la pensée, au langage et à l'écriture. Lorsque nous sommes éveillés, l'esprit actif, le cerveau émet des ondes électriques plus rapides appelées ondes « bêta ». Dans cet état, nous avons la capacité de rationaliser et de penser au passé et à l'avenir.

L'hémisphère droit du cerveau s'implique dans l'intuition, l'imagination et les sensations. Lorsque nous percevons quelque chose — quand nous écoutons de la musique, par exemple — nous sommes dans un état plus réceptif qu'actif, et le cerveau émet alors des ondes électriques plus lentes appelées ondes « alpha ». À l'état alpha, nous sommes plus passifs et à l'écoute de nos sensations. Cet état survient quand nous nous laissons vivre dans le présent plutôt que dans le futur, souvent juste avant ou après le sommeil (mais non pendant — quand nous dormons, le cerveau émet d'autres ondes appelées thêta et delta).

Éveillés, nous sommes la plupart du temps à l'état bêta et ne passons qu'une heure environ à l'état alpha. La méditation a pour vertu de restaurer un équilibre en augmentant le temps passé à l'état alpha ; elle nous permet de retrouver nos sensations et d'expérimenter le monde en direct, au présent, avant que les émotions ne soient « interprétées » par l'hémisphère gauche du cerveau.

Alpha	Bêta
Réceptif	Actif
Intuition	Pensée
Présent	Passé/avenir
Détendu	Tendu
Être	Faire
Écouter	Parler
Imagination	Préméditation

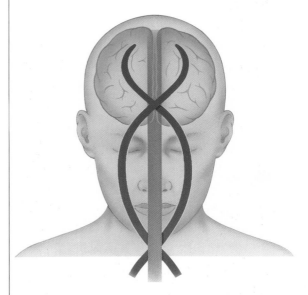

La méditation instaure un meilleur équilibre entre les deux hémisphères du cerveau, celui de la pensée et celui des émotions.

Trouver le temps de méditer

Si votre vie est bien remplie, vous risquez de vous demander comment trouver le temps de méditer à un rythme régulier. Nous avons tous des engagements familiaux et professionnels, mais il suffit souvent d'un minimum d'organisation pour inclure la méditation dans notre emploi du temps. À la longue, celle-ci trouvera naturellement sa place et deviendra une habitude.

Méditer régulièrement

En entendant le mot « méditation », certains pensent tout de suite à ces ascètes, ermites et moines qui passent des jours et des jours dans un état proche de la transe, dans des temples ou des lieux retirés du monde.

Même si certains adeptes de la méditation y consacrent effectivement tout leur temps, la majorité n'atteint pas de tels extrêmes. Libre à vous de méditer quelques minutes seulement quand vous en avez envie, mais pour progresser, il faut vraiment essayer de s'astreindre à une méditation régulière.

Gérer son temps avec efficacité

Si vous avez déjà une vie bien remplie, vous aurez peut-être de la difficulté à pratiquer cette nouvelle activité. Cependant, vous rendrez cette tâche plus aisée en considérant que vous prenez un engagement envers vous-même. Les moments consacrés à la méditation seront des moments que vous passerez seul à seul, une excellente raison pour vous inciter à les insérer dans votre emploi du temps. Après tout, chacun a le droit de passer quelques minutes par jour en tête-à-tête avec soi-même.

Gérer efficacement son temps présente d'autres avantages. Vous aurez l'impression d'être mieux organisé, plus détendu et plus disponible, et donc plus apte à vous concentrer sur votre méditation qui vous procurera, en retour, une réelle sensation d'apaisement.

Une vie active n'est pas un obstacle à la pratique de la méditation, à laquelle il suffit souvent de consacrer quelques minutes.

Couchez sur le papier votre emploi du temps de la semaine pour déterminer le temps susceptible d'être alloué à la méditation.

Gagner du temps

Il n'est pas difficile de trouver le temps de méditer. Commencez par coucher sur le papier l'emploi du temps d'une semaine-type, sans nécessairement entrer dans le détail. Faites une liste des tâches que vous accomplissez régulièrement : travailler (temps de trajet inclus), accompagner les enfants à l'école ou faire les courses le samedi après-midi. Inscrivez ensuite l'heure approximative à laquelle vous allez normalement vous coucher.

Recensez les tâches que vous devriez – mais parfois ne pouvez pas – accomplir régulièrement : désherber le jardin par exemple, faire votre courrier ou payer des factures. Allouez suffisamment de temps à l'exécution de ces tâches. Comme elles sont susceptibles de varier d'une semaine à l'autre, vous souhaiterez peut-être leur consacrer deux ou trois heures par semaine pour être

sûr de les accomplir. Cela étant fait, examinez une nouvelle fois votre emploi du temps.

Vous serez surpris de voir que vous disposez, en réalité, de beaucoup plus de temps que vous ne le pensiez initialement. Maintenant, cherchez comment vous passez le reste de votre temps. Vous regardez peut-être plus la télévision que vous ne le pensiez ou faites des choses pour certaines personnes alors qu'elles pourraient les faire elles-mêmes. Si vous relevez beaucoup de blancs inexpliqués dans votre emploi du temps, tenez un journal hebdomadaire de vos activités et notez précisément le temps que vous consacrez à chacune d'elles. Vous découvrirez que les courses vous prennent deux fois plus de temps que vous ne le croyiez, ou que vous avez oublié d'inclure une tâche quotidienne dans votre programme. Ce journal vous permettra de pointer les petits dysfonctionnements et de combler les vides.

Certaines tâches vous paraîtront plus agréables si vous leur consacrez plus de temps.

Déterminer des priorités et déléguer

Maintenant, listez tous les travaux exceptionnels que vous souhaitez accomplir, comme peindre la porte d'entrée, téléphoner à un parent ou huiler une charnière qui grince depuis longtemps. Déterminez leur caractère d'urgence et numérotez-les. Donnez le numéro 1, par exemple, à la tâche la plus urgente, puis le numéro 2 à une tâche un peu moins urgente, et ainsi de suite. Revenez ensuite à votre emploi du temps et consacrez une plage de temps hebdomadaire à l'exécution de ces tâches. Cochez-les dès qu'elles sont terminées et ajoutez-en d'autres à la liste au fur et à mesure qu'elles se présentent. Numérotez-les à nouveau si nécessaire.

Ensuite, étudiez votre emploi du temps afin de voir le temps qui reste inoccupé. Vous trouverez certainement

Trouvez du temps pour vous occuper de vous.

Apprenez à déléguer et donnez à chaque membre de la famille des tâches spécifiques à exécuter.

quelques moments de disponibilité pour la méditation, mais si votre emploi du temps est toujours chargé, passez-le au crible pour détecter ce qui consomme tout votre temps. S'il s'agit du travail, réservez-lui un autre emploi du temps et, à l'intérieur de celui-ci, définissez l'ordre de priorité de chaque tâche. Si vous ne parvenez pas à toutes les inclure, vous aurez alors identifié un problème : vous êtes surchargé de travail ! Dans ce cas, il est temps de prendre des mesures pour débloquer la situation : faites-vous aider et déléguez.

Si vous passez trop de temps à faire le ménage ou à vous occuper d'autres personnes alors qu'elles sont tout à fait capables de faire les choses elles-mêmes faites-vous aider aussi. Parfois, une simp[le] requête suffit à pousser les gens à agi[r] Si vos demandes restent sans répon[se] soyez plus ferme !

Gagner encore du temps

Vous gagnerez beaucoup de temps dans la journée en modifiant vos habitudes quotidiennes. Essayez quelques techniques simples parmi les suivantes et notez le temps que vous économisé :

- Ouvrez votre courrier au-dessus de la corbeille à papiers, jetez immédiatement tout ce qui est inutile et répondez aux lettres le jour où vous les recevez.
- Classez chaque dossier dès qu'il a été traité.
- Contrôlez le temps passé à téléphoner. Si vous connaissez quelqu'un de particulièrement bavard, essayez de l'appeler aux moments où vous êtes sûr de pouvoir écourter l'appel, juste avant son émission de télévision préférée. Votre note de téléphone et votre emploi du temps s'en ressentiront !

Vous gagnerez beaucoup de temps en écourtant vos coups de téléphone.

- Ne passez pas trop de temps devant la télévision. Choisissez des émissions que vous voulez vraiment regarder puis éteignez votre poste dès qu'elles sont terminées.
- Attention aux personnes qui se déchargent sur vous. Par exemple, si quelqu'un vous dit : « Peux-tu appeler untel et untel ? », expliquez-lui que vous n'avez pas le temps et suggérez-lui de téléphoner lui-même.

Grâce à ces quelques propositions – il en existe bien d'autres – vous aurez plus de temps disponible pour la méditation dans votre vie quotidienne. Mettez en œuvre certaines de ces propositions afin de commencer à définir des plages de méditation et d'apprécier les bienfaits d'une pratique régulière.

Se préparer à la méditation

Dans un monde idéal, nous devrions tous disposer d'un lieu spécialement aménagé pour la méditation, une sorte de sanctuaire où, dès le seuil franchi, les tensions quotidiennes disparaissent. En réalité, la majorité d'entre nous ne jouit pas ce privilège et n'a peut-être même pas la possibilité de choisir un endroit où méditer le moment venu.

Créer un espace propice à la méditation

S'il vous est impossible de consacrer une pièce à la méditation dans votre maison ou votre appartement, vous disposez peut-être d'un coin tranquille que vous pouvez réserver à cet usage. S'il en est ainsi, votre cerveau associera ce lieu à des sensations apaisantes et vous vous trouverez instantanément dans un état d'esprit favorable sitôt que vous y pénétrerez. Toutefois, ne vous inquiétez pas si ce n'est pas possible. Vous pourrez toujours créer une ambiance propice grâce à une chaise spécialement choisie ou à une musique appropriée (de la musique classique, par exemple). Ne méditez pas dans votre lit car il est facile de céder à l'endormissement.

Apprendre à improviser

Si, dans votre intérieur, aucun espace n'est adapté à une méditation régulière, il existe beaucoup d'autres lieux susceptibles de se prêter à cet exercice, moyennant un peu d'improvisation. Par exemple, s'il fait beau, pourquoi ne pas aller dans un parc ? Asseyez-vous sur un banc, dans l'herbe, adossez-vous à un tronc d'arbre, dans un endroit un peu à l'écart. S'il pleut, il existe peut-être un kiosque ou un petit abri où vous installer.

Les bougies, les images et les brûle-parfums contribuent à créer une atmosphère propre à la méditation.

Un beau paysage à proximité de chez vous
sera un excellent lieu de méditation.

L'essentiel est de trouver un endroit où vous ne risquez pas d'être dérangé, même si ce n'est qu'un coin paisible dans une grande ville. Si le temps est maussade, essayez la bibliothèque de votre quartier, une église ou même votre voiture.

Pour créer une atmosphère idéale, écoutez de la musique douce au casque avant votre méditation et après, ou bien prenez une fleur ou n'importe quel objet qui vous inspire.

Vous devez porter des vêtements amples et confortables. Si vous vous installez en plein air, prenez un vêtement chaud car le corps se refroidit rapidement lorsqu'on reste longtemps dans la même position.

La spontanéité

Bien qu'il soit préférable de choisir un endroit approprié et de créer une atmosphère propice à la méditation, vous aurez parfois envie de méditer là où vous êtes, sans aucune préparation, dans un train ou un car par exemple. Comme vous le verrez plus loin, votre concentration s'améliorant, vous vous rendrez compte qu'il est possible de méditer partout, même dans les lieux les plus fréquentés.

Pour vous détendre et vous préparer à la
méditation, écoutez de la musique
douce.

Les postures et la respiration

Une posture et une respiration correctes sont indispensables à une bonne pratique de la méditation, mais il n'est pas nécessaire de se torturer avec des positions de yoga ou des séquences respiratoires compliquées. La méditation doit être un plaisir ; confortablement installé, vous pourrez méditer, sans interruption, aussi longtemps que vous le voudrez.

Postures de base

Il existe différentes postures de méditation mais vous pouvez vous concentrer sur celles indiquées ci-après.

Posture assise

Pour cette posture, utilisez une chaise, un tabouret, un fauteuil ou un banc. Asseyez-vous, le dos droit, la tête dans l'alignement de la colonne vertébrale. Posez les mains sur les genoux ou sur les accoudoirs, les cuisses doivent être parallèles au sol. Si vous êtes sur une chaise, ne vous appuyez pas au dossier.

Vous préférerez peut-être vous asseoir sur une chaise plutôt que sur le sol, mais veillez à vous tenir le dos droit.

Posture en tailleur

Asseyez-vous par terre et croisez les jambes. Inutile de lever les pieds et de les poser sur les cuisses à la manière des yogis indiens – il faut plutôt éviter cela sauf si vous êtes doué pour le yoga. Asseyez-vous simplement par terre, croisez les jambes et glissez les pieds sous celles-ci. Tenez-vous le dos droit, la tête dans l'alignement de la colonne vertébrale. Posez les mains sur les genoux. Asseyez-vous sur un coussin si vous trouvez cette solution plus confortable.

Prenez le temps de trouver une position confortable avant de commencer.

Posture à genoux

Mettez-vous à genoux sur le sol, cuisses serrées, fesses sur les talons et les orteils se touchant presque. Tenez-vous le dos droit, la tête dans l'alignement de la colonne vertébrale, les mains posées à plat sur les cuisses.

Pour plus de confort, glissez un coussin sous vos pieds.

Posture à genoux

Posture allongée

Intitulée « savasana » ou posture du « cadavre » en yoga. Allongez-vous simplement au sol – sur une moquette ou un tapis – le dos bien à plat. Les jambes sont étirées mais relâchées. Les bras reposent de part et d'autre du corps. La posture allongée, propice à l'endormissement, n'est pas idéale pour la méditation. Cependant, elle s'avère utile si vous vous sentez stressé, si vous devez vous relaxer (*voir* page 17), ou si vous êtes très fatigué et avez besoin d'être revivifié.

Posture allongée

Compter les respirations

Cette méditation est l'une des plus simples et des plus connues. Pratiquez-la aussi longtemps que vous vous sentez à l'aise. Au début, vous ne tiendrez peut-être pas plus de quelques minutes mais essayez de la prolonger jusqu'à vingt minutes si possible.

1 *Adoptez la posture assise ou en tailleur (voir ci-contre). Fermez les yeux, détendez-vous et respirez normalement à plusieurs reprises.*

2 *Concentrez-vous sur votre respiration. Après chaque expiration et avant d'inspirer, comptez mentalement comme suit : « un » (inspirez, expirez) ; « deux » (inspirez, expirez) et ainsi de suite jusqu'à cinq, puis recommencez à partir de un.*

3 *Sentez l'air entrer et sortir tout en respirant. Vous verrez vite que votre esprit essaie de vous empêcher de compter avec toutes sortes de pensées. Repoussez doucement ces pensées chaque fois que vous avez l'impression d'avoir été détourné. Quand vous avez terminé, sortez lentement de votre méditation et ouvrez les yeux.*

La relaxation

Pour méditer, il est indispensable de savoir se relaxer, mais cette pratique est souvent jugée ardue. La vie actuelle, plus stressante que jamais, exerce sur le corps et l'esprit des pressions professionnelles, familiales et financières lourdes à supporter.

Les effets du stress

Sous certaines formes, le stress est bénéfique car il incite à agir et permet même d'échapper au danger. Imaginez, par exemple, que vous allez être attaqué par un tigre. La réponse au stress, ou mécanisme combat/fuite, vous donnera un coup de fouet. Le système reçoit une injection d'adrénaline, le cœur, la respiration et le métabolisme s'accélèrent et des agents anti-inflammatoires comme

Les cours de méditation ou de yoga sont excellents pour s'initier à l'art de la relaxation.

le cortisol sont libérés. Les systèmes non essentiels – comme les systèmes digestif et immunitaire – se mettent en veille. Si vous courez pour échapper au danger, l'activité physique libère le stress. Votre corps se détend et revient à son état normal.

Dans la vie quotidienne, nous ne trouvons pas toujours d'échappatoire au stress. Les substances chimiques du stress restent dans l'organisme, bloquent les systèmes digestif et immunitaire et pompent notre énergie, risquant à long terme de provoquer des maladies graves.

Apprendre à se relaxer

La relaxation est essentielle à la santé ; elle permet de combattre le stress et donne à l'organisme le temps de recouvrer son énergie. Il est également indispensable de se relaxer avant, pendant et après la méditation afin d'atteindre l'état alpha et de s'y maintenir (*voir* page 7). Quelques suggestions pour mieux vous relaxer :

- Essayez de vous détendre dans un bain chaud
- Écoutez de la musique douce
- Faites-vous masser
- Suivez un cours de relaxation ou de yoga

Le massage est un excellent moyen pour éliminer les tensions de l'organisme.

Relaxation corporelle

Vous pouvez pratiquer cet exercice seul, avant ou après d'autres exercices de méditation.

1 *Mettez-vous en position allongée (voir page 15). Fermez les yeux et respirez normalement. Concentrez-vous sur le sommet de votre tête, localisez les tensions qui s'y trouvent, relaxez-vous et laissez-vous aller. Sentez le lent mouvement de votre respiration.*

2 *Concentrez-vous sur votre front et éliminez les tensions susceptibles de s'y trouver. Relaxez les sourcils, paupières, oreilles, narines, bouche et mâchoire et éliminez les tensions. Continuez à respirer normalement.*

3 *Concentrez-vous sur votre cou puis sur vos épaules, vos bras et vos mains. Libérez les tensions retenues dans ces zones, puis concentrez-vous sur votre poitrine et votre cœur, votre estomac, votre abdomen, vos fesses et vos organes génitaux, en relaxant chaque zone au fur et à mesure. Enfin, concentrez-vous sur vos jambes et vos pieds et éliminez les tensions qui s'y trouvent.*

4 *Respirez quelques instants. Au bout d'un moment, vous risquez de sentir les tensions se glisser à nouveau dans certaines parties de votre corps. S'il en est ainsi, essayez de les localiser et de vous concentrer pour les éliminer.*

5 *Sortez lentement de la méditation et ouvrez les yeux. Vous vous sentirez revivifié.*

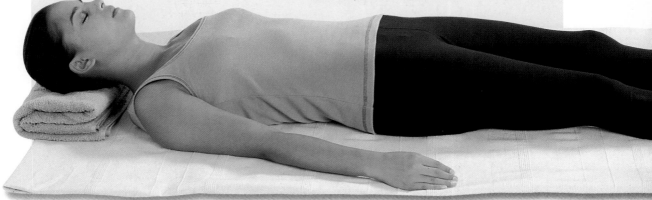

CHAPITRE 2 : LA MÉDITATION EN PRATIQUE

L'art d'être attentif

Nous agissons souvent en « somnambules », c'est-à-dire par automatismes, sans même avoir conscience de ce qui se passe autour de nous. Quand nous sommes dans un train, par exemple, il nous arrive de penser au passé et de perdre ainsi de précieux moments du présent. Nous ne prêtons aucun intérêt aux paysages qui défilent ou à la personne assise à côté de nous. Une attention soutenue nous permet de reconquérir l'instant, de rester ancré dans le présent pour ne pas manquer l'essentiel.

Prendre le temps d'avoir conscience de ce qui nous entoure permet de rester en prise avec le moment présent.

Cultiver l'attention, ou apprendre à avoir pleinement conscience du moment présent, augmente notre sensibilité et nous permet d'accomplir nos tâches avec un maximum d'efficacité ; cela nous rend aussi plus observateur. Par exemple, un médecin qui écoute son patient avec attention aura conscience de tout ce qui lui arrive au moment présent – y compris des plus infimes

Cultiver son attention

Une quantité modérée d'activité automatique n'est pas nécessairement nocive car elle nous laisse le temps de nous rappeler certaines choses et de faire des projets. Cependant, à trop s'attacher au passé ou au futur, on risque de perdre ce temps qui nous est le plus précieux, le présent.

Nombre d'entre nous passent des journées « perdus dans leurs pensées », concentrés sur tout autre chose que ce qu'ils sont en train de faire.

détails – et sera plus concerné par ses besoins. Pour développer cet état de conscience, il est indispensable de se maintenir totalement dans le présent, et de prendre conscience de toutes les sensations qui surviennent. Si vous écrivez une lettre avec beaucoup d'attention, aucun détail ne vous échappera : l'odeur du papier neuf avant que vous ne commenciez à écrire, la sensation du papier sur la peau de votre main, le poids du stylo et votre façon de le tenir, le flux de l'encre à mesure que les lettres se forment et même la rapidité de mouvement du stylo, ainsi que vos pensées et vos sentiments durant tout le processus d'écriture. Vous voyez et sentez tout avec un détachement serein. Vous n'essayez pas d'analyser ni de juger, vous vous contentez de regarder et de sentir.

Vivre au présent

Lorsque vous vivez réellement dans le présent, chaque chose prend une nouvelle signification. Les couleurs sont plus vives, les objets ont plus de relief et vous entendez toutes les notes d'un morceau de musique. Les fleurs sentent divinement bon et chaque sensation est intense.

Vous pouvez cultiver cette conscience en pratiquant la « méditation attentive ».

Prêter attention aux actes les plus anodins permet d'éveiller tous les sens.

Méditation attentive

Cette méditation est excellente pour cultiver l'attention.
Essayez de la pratiquer le plus souvent possible.

1 *Écartez votre esprit de toute distraction et concentrez-vous sur ce que vous faites au moment présent. Tenez-vous assis, debout, ou marchez, peu importe. Quelle que soit votre activité – rentrer du bureau à pied, manger, prendre une douche – faites-la en sollicitant tous vos sens. Humez l'odeur de l'air autour de vous, goûtez chaque bouchée de nourriture que vous mangez, sentez l'eau couler sur votre peau en vous douchant. Demandez-vous ce que vous faites, ce que vous éprouvez, ce que vous ressentez.*

2 *Au bout d'un moment, votre esprit essaiera de vous distraire. Acceptez les pensées qui surgissent mais n'y prêtez pas attention. Laissez-les filer et ramenez doucement votre esprit au moment présent. Peu à peu, vous entrerez dans le paisible état alpha (voir page 7). Poursuivez cette méditation le plus longtemps possible.*

La méditation attentive permet de voir la beauté en toute chose, de la plus petite fleur aux personnes qui vous sont les plus proches.

Les affirmations

Les affirmations sont des formules qui se répètent mentalement ou à voix haute, en continu, jusqu'à ce que cette répétition incessante perde toute signification et que seul le son de l'affirmation reste. Même si, au début, la répétition de ces formules semble dépourvue de sens, essayez de persévérer car elles constituent un outil très puissant et exercent des effets très positifs sur l'esprit et le bien-être général.

Les affirmations dans la vie quotidienne

Dans la vie de tous les jours, les affirmations peuvent inciter notre esprit à penser de manière plus positive. Prenons l'exemple d'un homme qui doit faire un discours à l'occasion d'un mariage. Le « bavard à l'intérieur de lui » prend le pouvoir et lui fait craindre de passer pour un idiot. Finalement, il est tellement

La pensée positive a un effet bénéfique sur la manière dont nous nous percevons.

angoissé qu'il ne réussit absolument pas à se concentrer.

Il décide alors d'utiliser l'affirmation « je suis bon orateur » et se la répète continuellement. Au début, il n'y croit pas mais la répétition incessante minimise le sens des mots. Cette affirmation lui paraît presque naturelle et ne lui procure plus aucune gêne.

Utilisées à bon escient, les affirmations permettent de ne plus douter de soi-même et de reprendre confiance.

La formule devient familière, l'hémisphère gauche du cerveau n'a plus besoin de l'analyser et la transmet à l'hémisphère droit qui n'est pas concerné par le jugement, mais seulement par l'émotion et la sensation.
Il acceptera cette pensée sans questionnement et la transformera en sentiment positif.
La crainte de l'échec se dissipera pour laisser place à une nouvelle confiance en soi.

N'importe quelle phrase peut servir d'affirmation ; assurez-vous simplement qu'elle vous procure une bonne sensation, une intonation confiante et qu'elle soit facile à prononcer. Par exemple :

J'ai entièrement confiance

Je me pardonne

Mon corps est superbe

Je n'ai aucun souci

Je suis complètement détendu

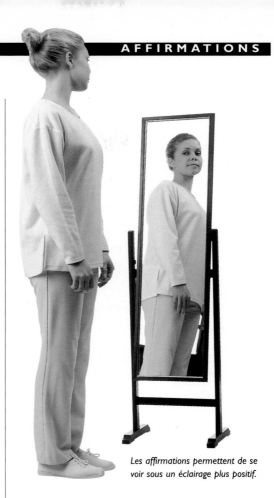

Les affirmations permettent de se voir sous un éclairage plus positif.

Essayez d'écrire votre affirmation sur un morceau de papier puis mettez-la en évidence dans un lieu où vous aurez l'occasion de la voir souvent.

Affirmations et méditation

En méditation, les affirmations s'utilisent dans un autre dessein, essentiellement pour couper court à l'incessant bavardage du cerveau.
Si vous avez du mal, en cours de méditation, à empêcher votre esprit de vous distraire, la répétition d'une affirmation simple bloque la voie de communication et l'esprit cesse de vous nourrir d'autres pensées.
Le fonctionnement est le même que lors du comptage des respirations (*voir* page 15) car il permet d'éliminer toute distraction en se concentrant sur autre chose. Certains ont plus de facilité à répéter des affirmations qu'à compter les respirations.

Au cours d'une méditation, nous répétons les affirmations en nous concentrant sur autre chose, des sensations par exemple. Le but de l'affirmation étant de repousser les pensées envahissantes, sa signification importe peu mais il est préférable de dire quelque chose de positif ; ainsi, après d'incessantes répétitions, l'idée prendra racine dans le subconscient. Rappelez-vous cependant que l'objectif premier est de neutraliser le bavardage de l'esprit et non de le nourrir d'idées susceptibles de vous distraire.

Grâce à une pratique régulière, les affirmations deviendront une habitude. Quand vous aurez acquis une certaine aisance, choisissez d'autres phrases simples qui ont un sens pour vous.

Les affirmations en pratique

Pour répéter une affirmation, choisissez un moment où vous êtes détendu. Ainsi, vous réussirez mieux à neutraliser le bavardage de votre esprit, et la suggestion sous-jacente à l'affirmation se déplacera plus rapidement du royaume de la pensée vers le royaume de la sensation. Si vous avez du mal à vous relaxer, commencez par pratiquer l'exercice de « relaxation corporelle » (*voir* page 17). L'essentiel à retenir sur les affirmations est qu'il faut les répéter régulièrement. Répétez-les aussi longtemps que possible, et dans tous les cas au moins trois fois par séance, trois fois par jour.

Les autres affirmations

Essayez « l'exercice d'affirmations » de la page ci-contre, puis poursuivez-le en utilisant les affirmations de votre choix. Les mieux adaptées sont celles qui permettent de neutraliser le bavardage intérieur ; elles doivent s'intégrer facilement au rythme de votre respiration. Voici quelques propositions :

laisser faire

paix éternelle

bien éveillé

heureux et libre

Si vous êtes détendu avant de répéter vos affirmations, elles vous seront plus rapidement profitables.

Exercice d'affirmations

Très efficace pour contrôler l'esprit et améliorer la concentration, cet exercice est également excellent pour soulager le stress.

1 *Au choix, prenez la position assise, à genoux ou allongée (voir pages 14-15). Détendez-vous complètement avant de commencer. Si nécessaire, effectuez d'abord l'exercice de relaxation corporelle (voir page 17). Éliminez les tensions, laissez-les se détacher de votre corps.*

2 *Concentrez-vous sur votre respiration. Inspirez et expirez normalement, en suivant le rythme de votre respiration plutôt qu'en essayant de le contrôler.*

3 *Quand vous vous sentez prêt, répétez les mots « DÉTENDS-TOI », à voix basse ou haute. Prononcez la première syllabe en inspirant et les deux autres en expirant. N'essayez pas de donner un rythme particulier à votre respiration. Continuez à respirer normalement et réglez le rythme de votre affirmation sur celui de votre respiration.*

4 *Votre esprit risque d'essayer de vous distraire avec d'autres pensées. Remettez-le doucement dans le droit chemin et continuez à répéter : « DÉTENDS-TOI », en rythme avec votre respiration.*

5 *Une fois l'exercice terminé, vous vous sentirez probablement plus détendu, mais notez toutes vos sensations.*

Pour parvenir à un état de totale relaxation, éliminez consciemment toutes les tensions accumulées dans chaque partie de votre corps.

Les mantras

Les mantras ressemblent aux affirmations car ce sont également des formules que l'on se répète à soi-même. Cependant, à la différence des affirmations, la qualité sonore des mantras joue un rôle important ; ceux-ci doivent résonner à travers le corps pour transformer la conscience. Certains pensent que les mantras ont des vertus magiques.

Les adeptes de Bouddha utilisent le mantra Om Mani Padme Hum pour en appeler à la compassion.

À chacun son mantra

Certains mantras possèdent sans nul doute des vertus magiques, qui souvent d'ailleurs participent des traditions spirituelles. Les hindous utilisent les mantras depuis des milliers d'années, de même que les bouddhistes, les musulmans et les chrétiens.

Toutefois, il n'est pas nécessaire d'être croyant pour faire usage des mantras, et vous pouvez choisir des mantras qui ne sont liés à aucune divinité en particulier. Les mantras servent à provoquer un état de paix ou de quiétude ou à accroître la prise de conscience, la vigilance ou la créativité.

Les mantras célèbres

Le mantra le plus célèbre de tous est probablement OM. D'origine hindoue, il se prononce « A-OO-M ». Les hindous pensent que OM est la vibration sonore sous-jacente à la création de l'Univers. Considéré comme un mantra très puissant, il se révèle un bon choix si vous souhaitez vous identifier à l'Unité de l'Univers et de l'ensemble de la Création.

OM MANI PADME HUM est un autre mantra bien connu, souvent utilisé par les bouddhistes pour évoquer la compassion et chasser les sentiments négatifs que l'on éprouve envers soi-même ou autrui. Il sert également à se maintenir en éveil lors d'un exercice de relaxation. Il se prononce « AOOM-MANI-PADMAY-HOOM ». On le traduit généralement par « Salut au joyau du lotus ».

Si vous êtes chrétien, le mantra le plus répandu est ALLELUIA, que l'on prononce « AH-LAY-LOO-YA ». Il s'entonne également HALLELUIA, en se prononçant « HAH-LAY-LOO-YA ». Il vient de l'hébreu *hallelu* (louer) et *Jah* (Jéhovah) et signifie « louer Dieu ».

Exercice de mantras

N'importe quel mantra convient pour cet exercice mais il est préférable d'en choisir un à la résonance ou à la sonorité particulière. Au début, vous ne réussirez peut-être qu'à faire durer cet exercice quelques minutes, mais essayez par la suite de le prolonger jusqu'à 20 minutes au moins.

1   *Prenez la posture en tailleur ou une autre posture assise (voir page 14). Fermez les yeux et respirez normalement.*

2   *Commencez à répéter le mantra choisi. Répétez-le à voix basse ou haute, à votre convenance. Si cela vous aide, répétez-le au rythme de votre respiration ou de vos pulsations.*

3   *Laissez-vous absorber et porter par le rythme et le son du mantra. Si vous vous déconcentrez, ramenez doucement mais fermement votre esprit dans la bonne voie et répétez le mantra avec plus d'emphase.*

4   *Sortez lentement de la méditation et ouvrez les yeux.*

Le pouvoir des mantras

La sonorité des mantras, même si elle existe uniquement en pensée, résonne toujours à travers le corps. Vous pouvez répéter un mantra au rythme de votre respiration ou de vos pulsations, ou l'entonner librement.

Au début, il est préférable d'utiliser des mantras qui ont fait leurs preuves. Par la suite, vous essaierez de créer vos propres mantras. Assurez-vous simplement que le son résonne et chantonne dans votre corps.

Voici quelques propositions :

amour

paix   silence

un   doh   shhhh

ahhhh   oo   mmmm

Méditer debout et en marchant

La méditation se pratique n'importe où. Il n'est même pas nécessaire d'être en position assise ou allongée. Vous pouvez méditer debout, en marchant ou même en dansant.

La posture debout

Debout, le dos bien droit, les pieds parallèles, écartés d'environ 45 cm, la tête dans l'alignement de la colonne vertébrale. Le bassin est bien droit afin de ne pas cambrer le bas du dos. Ne soyez pas tendu. La posture debout doit être confortable de façon à pouvoir la maintenir sans se fatiguer.

Si vous êtes debout et détendu, l'énergie circule librement à travers votre corps.

Méditation de la fleur dorée

Cette méditation est excellente pour développer le pouvoir de concentration. Elle est également revitalisante et fait appel à l'énergie de la terre au lieu d'épuiser la vôtre.

1 *Prenez la posture debout (voir ci-contre) et éliminez la tension qui est en vous. Respirez normalement et doucement.*

2 *Imaginez que votre colonne vertébrale est une tige droite. Sentez-la pousser vers le haut, du bas du dos à la nuque en passant entre les épaules. Elle continue à croître au-dessus de votre tête jusqu'à épanouissement d'une grosse fleur dorée. La fleur s'élève encore un peu en étirant votre colonne vertébrale.*

3 *En même temps, imaginez que vos pieds sont les racines de la fleur. Sentez-les s'enfoncer dans le sol. Entre la fleur au-dessus de votre tête et les racines qui sont vos pieds, sentez votre colonne vertébrale s'étirer un peu plus. Vos bras et vos mains deviennent des feuilles légères comme l'air.*

4 *Imaginez que l'énergie, sous la forme d'une lumière blanc doré, part des racines – vos pieds – et monte, via votre colonne vertébrale, jusqu'au sommet de votre tête où brille la fleur dorée. La lumière emplit votre corps de son énergie purificatrice et vous revitalise. Conservez cette image quelques secondes.*

5 *Laissez la lumière redescendre à travers votre corps jusqu'au sol et dans la terre. Voyez la fleur se fermer, la tige se détendre et redevenir votre colonne vertébrale. Relaxez-vous.*

Maintenir son attention en éveil tout en marchant permet de mieux prendre conscience de la beauté naturelle de la Terre.

Marche attentive

Agréable et relaxante, cette méditation développe la concentration
et la prise de conscience.

1 Tout en marchant, pour aller travailler ou vous promener, empêchez votre esprit de penser au passé ou à l'avenir. Concentrez-vous sur votre respiration et marchez le dos bien droit, la tête dans l'alignement de la colonne vertébrale.

2 Concentrez-vous sur votre marche. Marchez avec application, en vous concentrant sur chacun de vos pas. Observez comment votre poids passe d'un pied sur l'autre, comment bougent vos pieds et comment l'air touche votre visage.

3 Maintenant, prenez conscience de tout ce qui est autour de vous. Où êtes-vous ? Par qui ou quoi êtes-vous accompagné ? Écoutez les sons, soyez attentif aux odeurs, aux couleurs et aux mouvements. Que ressentez-vous au sujet de cette expérience ? Essayez d'engranger un maximum de sensations.

Les chakras

Dans le yoga indien, les chakras sont les grands centres d'énergie du corps. Bien qu'elles soient invisibles, ces roues d'énergie spirituelle équilibrent notre corps et notre esprit. Elles stockent la force vitale que les yogis appellent « prana », les Chinois « ch'i » et les Japonais « ki ». Cette énergie dynamique est la précieuse force vitale universelle qui imprègne tout, enveloppe tout, est à l'intérieur de tout.

Explorer les chakras

Les sept chakras principaux du corps sont situés entre la base de la colonne vertébrale et le sommet de la tête. Il en existe d'autres, mais nous nous intéresserons uniquement aux chakras indiqués ci-après.

● Le premier chakra, ou chakra racine, est situé à la base de la colonne vertébrale. Il est associé à tout ce qui est matériel, y compris la force et les structures physiques, les possessions, le statut et la survie. C'est également là que réside une énergie dormante appelée kundalini. Les yogis s'attachent à réactiver cette énergie pour la faire circuler à travers les différents chakras. Quand elle atteint le sommet, tous les chakras sont ouverts et équilibrés, et l'on accède à la clairvoyance.

● Le deuxième chakra, ou chakra sacré, est situé au niveau de l'abdomen, au-dessus des organes génitaux. Il est associé à la sexualité, à la sensualité et à la reproduction.

● Le troisième chakra, ou chakra du plexus solaire, est situé dans la région du plexus solaire (assez haut derrière l'abdomen, juste entre les côtes et le nombril. Cette roue énergétique gouverne la puissance intérieure, la volonté et la confiance en soi.

● Le quatrième chakra, ou chakra du cœur, est situé au niveau du cœur. Il est associé aux relations, à l'amour, à la compassion et aux émotions en général.

● Le cinquième chakra, ou chakra de la gorge, se situe dans la région de la gorge. Il a trait à l'expression et la communication ainsi qu'à nos instincts créatifs.

● Le sixième chakra, chakra frontal ou du troisième œil, se situe au niveau du front, entre les sourcils. Il est associé à l'imagination, à la clairvoyance, à l'intuition et aux rêves ainsi qu'à nos capacités psychiques.

● Le septième chakra, chakra couronne ou chakra coronal, se situe au sommet de la tête. Il gouverne l'intelligence, la conscience suprême et notre lien à l'esprit universel et au divin.

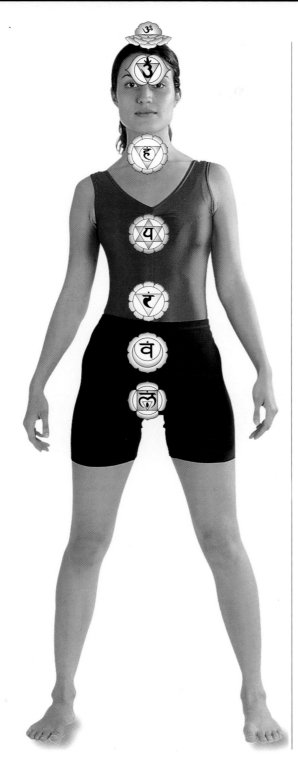

Atteindre l'équilibre

L'essentiel à savoir sur les chakras est que l'énergie doit circuler naturellement entre eux et qu'ils doivent être équilibrés l'un par rapport à l'autre. La méditation est un moyen d'équilibrer les chakras afin d'assurer un flux régulier d'énergie, d'améliorer la conscience spirituelle et le bien-être général.

Lorsqu'un chakra est « bloqué », il est susceptible de créer des problèmes dans la zone qui lui est associée. Par exemple, si le second chakra est bloqué, il peut entraver l'expression sexuelle ou le fonctionnement du système reproductif. De même, si le cinquième chakra est bloqué, il risque d'inhiber l'expression de soi ou la créativité. En réalité, très peu de personnes ont des chakras ouverts et équilibrés – le processus permettant d'atteindre cet état exige beaucoup de temps.

Le travail en profondeur visant à l'ouverture de tous les chakras demande une formation spécialisée et de l'autodiscipline ; il doit s'effectuer sous la direction d'un professeur qualifié et entraîné. Cependant, si vous souhaitez en savoir plus sur les chakras, sentir où se trouvent vos chakras ou expérimenter leur énergie, rien ne vous empêche d'effectuer cette démarche.

Les six chakras inférieurs s'élèvent le long de la colonne vertébrale. Le dernier chakra est situé sur la couronne.

Les pétales du lotus

Pour méditer sur l'un des chakras, il est coutumier de l'imaginer comme un lotus pourvu d'un certain nombre de pétales.
Le lotus a une signification spéciale : bien que ses racines soient dans la boue, il s'épanouit en une magnifique fleur qui ouvre ses pétales vers le ciel. Si vous avez de la difficulté à imaginer une fleur de lotus, vous pouvez simplement visualiser chaque chakra comme une réserve d'énergie. Le tableau suivant donne les noms et les positions des sept chakras principaux ainsi que les couleurs et le nombre de pétales qui leur sont associés.

En travaillant sur vos chakras, vous pouvez visualiser des fleurs de lotus aux pétales ouverts.

Attributs des sept chakras principaux

Chakra	Nom indien	Position	Attributs	Couleur	Glande et système corporel	Nombre de pétales
Racine	Muladhara	Base de la colonne vertébrale	Plan matériel, statut, survie	Rouge	Surrénales, squelette, lymphe et appareil rénal	4
Sacré	Swadhisthana	Abdomen inférieur	Sexualité et sensualité	Orange	Gonades et appareil reproducteur	6
Plexus solaire	Manipura	Plexus solaire ou zone du nombril	Pouvoir intérieur, volonté et confiance	Jaune	Pancréas, muscles et appareil digestif	10
Cœur	Anahata	Région du cœur	Relations, amour, compassion et émotions en général	Vert	Thymus, appareil respiratoire, circulatoire et système immunitaire	12
Gorge	Vishuddha	Gorge	Expression, créativité et communication	Turquoise et bleu	Thyroïde et métabolisme	16
Frontal	Ajna	Entre les sourcils	Imagination, clairvoyance, intuition et rêves	Indigo	Hypophyse et système endocrinien	2
Couronne	Sahasrara	Sommet de la tête	Intelligence, conscience supérieure et lien avec le divin	Violet	Glande pinéale et système nerveux	1 000

Il est difficile d'imaginer les chakras ; pour mieux vous les représenter, utilisez un CD.

Si vous voulez voir les chakras comme des cercles tournoyants, il faudrait vous placer au-dessus de la tête de la personne et regarder à travers ses chakras d'en haut. De cette manière, vous verriez que les chakras sont ronds.

Situer les chakras

Contrairement à la croyance populaire, les chakras sont positionnés à l'horizontale. En d'autres termes, lorsqu'on regarde de face une personne debout, les chakras ne sont pas alignés sur son corps comme le sont les boutons d'une chemise par exemple. Ils sont disposés sur un plan horizontal ; on ne voit ainsi que leur tranche. Si vous voulez les visualiser, faites l'expérience suivante. Tenez votre index à la verticale devant vos yeux, posez un CD dessus et faites-le tourner ; vous vous apercevrez que vous ne voyez que la tranche du CD. C'est ainsi que les chakras sont positionnés dans le corps.

Le canal sushumna

Pour visualiser les choses le mieux possible, imaginez les chakras montant le long de votre colonne vertébrale à l'arrière de votre corps ou à l'avant, ou bien encore à l'intérieur de votre corps, entre l'avant et l'arrière. En réalité, pour être plus précis, ils montent en empruntant un canal central appelé *sushumna* et sont reliés aux centres nerveux situés le long du canal rachidien. Pour vérifier leur position à différents points de « l'échelle », vous pouvez vous référer au tableau des chakras page 30.

En position debout, essayez de visualiser les chakras à l'intérieur de votre corps.

Méditer sur les chakras

Lorsque vous commencerez à méditer sur les chakras, vous trouverez probablement que certains sont plus faciles à sentir que d'autres. Avec la pratique, vous parviendrez à les sentir tous, sans exception.

Après quelques tentatives de méditation sur les chakras (*voir* page ci-contre), si vous éprouvez de la difficulté à sentir le flux énergétique circuler dans un chakra, il est possible que celui-ci soit « bloqué ». Pratiquement tout le monde a un ou plusieurs chakras bloqués. Il faut impérativement traiter ces blocages car ils risquent de poser problème (*voir* page 30 la liste des chakras et les fonctions qu'ils gouvernent).

Débloquer les chakras

Si vous pensez qu'un ou plusieurs de vos chakras sont bloqués, n'essayez pas de les débloquer vous-même. Consultez un thérapeute compétent dès que possible, un praticien de l'Ayurveda par exemple. L'Ayurveda est un système thérapeutique indien fort ancien, qui vise à redonner santé et équilibre à l'esprit et au corps grâce à des remèdes à base de plantes, à un régime, à des exercices respiratoires, à la purification, à la méditation, à des postures de yoga, à des massages et à d'autres traitements.

Un praticien ayurvédique qualifié sera capable de sentir les blocages de vos chakras et de restaurer votre flux énergétique naturel.

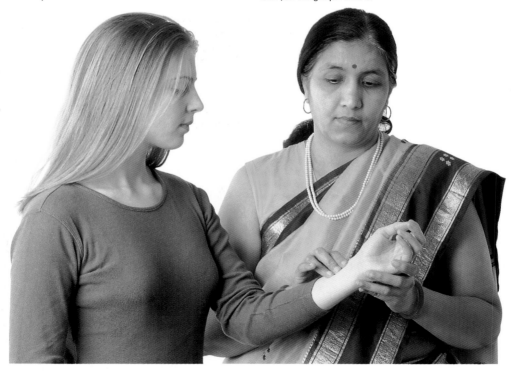

Méditation des chakras

Pour cette méditation, choisissez un endroit tranquille où vous ne serez pas dérangé.
Portez des vêtements amples et confortables.

1 *Prenez la position assise ou en tailleur (voir pages 14-15). Tenez-vous le dos bien droit, la tête dans l'alignement de la colonne vertébrale. Détendez-vous. Votre posture doit être confortable et vous devez vous sentir à l'aise. Respirez profondément à trois reprises, puis respirez normalement.*

2 *Utilisez votre esprit pour sentir le chakra à la base de votre colonne vertébrale. Vous pouvez l'imaginer comme un lotus avec le nombre de pétales correspondant (voir tableau page 30), comme une roue qui tourne ou une réserve d'énergie. Choisissez l'image qui vous semble la mieux adaptée et sentez l'énergie qui est à l'intérieur. Comment la ressentez-vous ?*

3 *Concentrez-vous maintenant sur le chakra suivant, dans l'abdomen inférieur, juste au-dessus de vos organes génitaux. Sentez à nouveau l'énergie qui est à l'intérieur. Est-elle différente de celle du chakra racine ?*

4 *Si vous avez de la difficulté à sentir le flux d'énergie dans un ou plusieurs chakras, essayez d'insuffler de l'énergie à la zone affectée. En d'autres termes, quand vous inspirez ou expirez, imaginez que votre souffle revitalise le chakra concerné et l'emplit d'énergie vitale.*

5 *Fixez votre attention sur les autres chakras, dans la région du plexus solaire ou du nombril, puis du cœur, de la gorge, du front, entre les deux yeux. Sentez les subtiles différences d'énergie entre eux à mesure que vous vous concentrez. Enfin, fixez votre attention sur le sommet de votre tête pour sentir le chakra situé à cet endroit. Comment ressentez-vous son énergie ?*

6 *Sortez très progressivement de votre méditation, laissez votre corps se relaxer puis respirez profondément deux ou trois fois avant de terminer l'exercice.*

Un travail sur les différents chakras permet d'être mieux à l'écoute de son énergie.

La visualisation

La visualisation est une technique extrêmement efficace qui utilise l'imagination pour créer des états spirituels ou corporels particuliers. Très répandue aujourd'hui, elle sert à améliorer la concentration et former l'esprit, à augmenter la confiance en soi et la capacité à résoudre des problèmes. Elle peut également servir à soigner ou à atteindre la clairvoyance spirituelle.

Comment fonctionne la visualisation ?

La visualisation dépasse l'imagination. Bien qu'elle utilise l'imagination pour créer des images mentales, elle va bien au-delà car elle implique tous les sens – non seulement la vue, l'odorat, l'ouïe, le toucher et le goût, mais aussi les émotions. En outre, certaines visualisations se manifestent également sur le plan physique.

Pour illustrer cela, essayez de vous souvenir d'une scène qui vous a semblé particulièrement désagréable lorsque vous l'avez vécue : un épouvantable trajet en voiture ou une marche solitaire, tard le soir, dans une rue très sombre et déserte. Si rien ne vous vient à l'esprit, pensez à certaines phobies que vous avez pu développer. Par exemple, si vous avez peur des araignées, imaginez que l'une d'elles saute sur votre main ou vos cheveux. Si vous avez le vertige, imaginez que vous sautez en parachute.

Si vous réussissez à visualiser assez bien ce type de scène et donc à vous rappeler cette expérience en détail, ou à sentir l'araignée

Chez certaines personnes, la simple évocation d'une araignée provoque les mêmes sensations et réactions corporelles que la vue d'une véritable araignée.

bouger dans vos cheveux, vous constaterez que votre corps réagit à ce stress par des manifestations physiques. Vous ressentirez alors une tension, votre pouls et votre respiration deviendront plus rapides. Si le stress a suffisamment d'intensité, vous vous mettrez à transpirer ou à frissonner de peur.

Le corps réagit ainsi car il ne fait pas la distinction entre ce que vous visualisez et la réalité. Donc, si la scène que vous visualisez

est suffisamment angoissante, elle déclenchera le mécanisme « combat/fuite » de l'organisme (*voir* page 16).

Comme nous l'avons vu précédemment, lorsque cette réponse « combat/fuite » survient, l'organisme met en sommeil tous les systèmes qui ne sont pas essentiels à la survie immédiate, reçoit de l'adrénaline et des agents anti-inflammatoires et se trouve prêt à porter secours.

Les bienfaits de la visualisation

Cette technique est intéressante car elle produit des effets bénéfiques. Par exemple, lorsque nous rêvons éveillé à quelque chose qui nous rend heureux, le cerveau produit des endorphines et autres substances euphorisantes et notre corps éprouve les sensations physiques du plaisir. Nous pouvons utiliser la visualisation pour obtenir le même type d'effet.

Une personne qui appréhende de parler en public peut se motiver en visualisant un public attentif et intéressé.

Si nous revenons maintenant à notre homme qui appréhende de parler en public (*voir* page 20), nous voyons aisément comment la visualisation peut l'aider à surmonter ce handicap. Il pourrait tout simplement se visualiser face à son public, en train de parler avec assurance et clarté. Le public sourit, suspendu à chaque mot qu'il prononce. Il prend plaisir à cet exercice et se sent très à l'aise. À l'issue de son discours, le public applaudit avec enthousiasme. S'il continue à visualiser cette situation de manière positive, l'hémisphère droit de son cerveau (*voir* page 7) finira par associer la pensée de parler en public au plaisir, et son appréhension disparaîtra.

Ainsi, la visualisation ne se situe pas seulement dans l'esprit mais peut provoquer des effets profondément physiques.

Comment la visualisation agit-elle sur nous ?

Comme nous l'avons mentionné précédemment, la visualisation est salutaire et permet de réaliser de nombreux objectifs. Vous pouvez notamment utiliser la visualisation pour surmonter une peur, comme aurait pu le faire notre homme inquiet de parler en public (*voir* page 20), pour vous affranchir d'une dépendance – arrêter de fumer, de boire de l'alcool ou du café, par exemple – ou bien encore pour prendre de l'assurance.

L'essentiel, pour que la visualisation soit réussie, réside dans la précision : vous devez vous attacher au moindre détail et prolonger l'exercice le plus longtemps possible afin de renforcer le message que vous envoyez à l'hémisphère droit de votre cerveau (qui traite des sensations et de l'intuition plutôt que

de la pensée et de la parole). Il recevra vos visualisations sans se poser de questions et les transformera en sensations une fois que vous leur aurez fait franchir l'hémisphère gauche du cerveau (*voir* page 7). Pour réussir cet exercice, une pratique assidue est vivement conseillée.

Exploiter le pouvoir de la visualisation

La visualisation nécessite l'usage de deux types d'imagerie différents : l'imagerie active et l'imagerie réceptive. L'imagerie active peut être une image que l'on choisit et sur laquelle on se concentre dans un dessein spécifique. L'imagerie réceptive demande de laisser surgir les images émanant du subconscient et de voir où elles conduisent. Certains préfèrent la discipline de l'imagerie active tandis que d'autres choisissent de laisser les images apparaître à leur guise ; d'autres encore utilisent sans difficulté les deux types d'imagerie.

Libre à vous d'utiliser des images réceptives ou actives pour entraîner votre esprit. Pour savoir s'il vous est facile ou difficile de visualiser quelque chose et quel type d'imagerie vous préférez, essayez l'exercice « techniques de visualisation » de la page ci-contre.

Vous pouvez utiliser des techniques de visualisation pour aiguiser votre esprit ou libérer votre potentiel créatif.

Techniques de visualisation

Cette méditation est excellente pour évaluer ou améliorer vos capacités de visualisation. Pratiquez-la dans un endroit calme où vous ne serez pas dérangé.

1 *Choisissez une posture confortable (voir pages 14-15). Les postures assise et en tailleur sont les meilleures mais la posture allongée conviendra également si vous n'êtes pas fatigué. Respirez normalement et fermez les yeux.*

2 *Essayez de visualiser une feuille de chêne. Comment est-elle ? Essayez de vous la représenter comme si elle existait vraiment. Imaginez-la avec le plus de détails possible, sans rien oublier : couleur, forme et texture. Observez chaque nervure, retournez-la et étudiez l'autre côté. Si vous parvenez à solliciter les autres sens, tant mieux. Frottez la feuille de chêne entre vos doigts. Que ressentez-vous ? Entendez-vous le frottement de vos doigts sur la feuille ? Mettez la feuille sous votre nez, sentez-vous son odeur ?*

3 *Ouvrez les yeux. Notez chaque sensation, chaque détail. Répétez cet exercice avec les objets suivants : une pièce, une rose et une crème glacée.*

Noter par écrit les résultats d'une expérience de visualisation permet d'en tirer le meilleur parti.

Actif ou réceptif ?

Qu'avez-vous remarqué au sujet des objets que vous venez de visualiser ? La feuille était-elle brillante ou flétrie ? Lisse ou friable ? Qu'avez-vous fait avec la pièce ? La rose était-elle difficile à visualiser ? Avez-vous su quel goût avait la glace ? Si vous n'avez réussi à voir l'objet qu'un court instant, continuez à vous entraîner jusqu'à ce que l'image reste visible un long moment.

Si vous n'avez pas réussi à visualiser ces objets, ne vous inquiétez pas ; beaucoup de gens trouvent l'exercice difficile mais parviennent à le maîtriser à force de pratique. Sinon, vous avez peut-être constaté que votre cerveau substituait d'autres images à celle que vous vouliez évoquer, comme un dahlia au lieu d'une rose. S'il en est ainsi, vous préférerez peut-être la souplesse de l'imagerie réceptive. Les images réceptives sont aussi suggestives que les images actives, et les deux permettent d'exercer l'esprit. L'objectif ultime est d'être parfaitement à l'aise avec ces deux types d'images.

Améliorer la compréhension

Les images sont le langage de votre subconscient. Si vous apprenez à communiquer avec votre subconscient en utilisant et en interprétant ces images, vous aurez trouvé un moyen de communiquer avec celui-ci et d'exploiter la compréhension qu'il vous fournit. Par exemple, si vous voulez comprendre d'autres personnes ou une situation compliquée, vous pouvez solliciter l'aide de votre subconscient. Pour cela, il vous faudra utiliser l'imagerie réceptive – en d'autres termes, laisser les images surgir à leur guise.

Ainsi, la prochaine fois que vous vous trouverez dans une situation difficile à comprendre, essayez l'exercice « aiguiser sa perspicacité » proposé ci-dessous.

Aiguiser sa perspicacité

Essayez cette technique pour mieux comprendre une sensation ou une situation particulière.

1 Prenez la posture assise ou en tailleur (voir pages 14-15). Il est également possible de pratiquer cette méditation en position debout (voir page 26). Relaxez-vous et respirez normalement.

2 Fermez les yeux et gardez momentanément à l'esprit la sensation ou la situation que vous souhaitez explorer durant votre méditation. Quand vous êtes prêt, demandez à votre subconscient de produire une image qui représente la situation ou la sensation que vous cherchez à comprendre.

Ne vous inquiétez pas si l'image qui apparaît semble dépourvue de sens ; il faut parfois du temps pour découvrir la signification d'un animal, d'une fleur ou d'un autre symbole choisi par votre esprit.

3 Laissez apparaître cette image. Au début, elle peut sembler n'avoir aucun lien avec ce que vous demandez. Persévérez – il faut parfois beaucoup de pratique pour comprendre les symboles de votre esprit. L'image est peut-être celle d'un chien qui aboie : vous vous rendez compte que la personne que vous essayez de comprendre n'est pas si méchante qu'elle en a l'air.

4 Une fois que vous avez étudié votre image, cessez votre méditation et ouvrez les yeux. Pensez à ce que vous avez appris de nouveau. Vous pouvez continuer à évoquer l'image sans nécessairement méditer.

L'espace sacré

La visualisation permet aussi de trouver un espace sacré, un sanctuaire où se réfugier pour se reposer et se réconforter, et si vous avez besoin d'être conseillé, elle peut également être bénéfique et servir à trouver un guide.

Il existe de nombreuses méditations préparées qui satisfont à ces demandes. Certaines, enregistrées sur cassettes, incitent à la visualisation par la parole descriptive, ce qui permet de se concentrer sur ses réactions à l'imagerie. Dans la « méditation du sanctuaire » (ci-dessous), vous utiliserez les imageries active et réceptive. Une fois la méditation terminée, pensez à ce que vous avez vu ou entendu. Il vous faudra peut-être du temps pour bien comprendre ou, à l'inverse, vous comprendrez tout immédiatement.

Méditation du sanctuaire

Vous pouvez pratiquer cette méditation à n'importe quel moment. Choisissez un endroit tranquille où vous ne serez pas dérangé.

1 *Prenez la posture assise ou en tailleur (voir pages 14-15), celle qui vous semble la plus confortable. Relaxez-vous quelques instants et respirez normalement.*

2 *Fermez les yeux et regardez-vous marcher dans la forêt. Vous suivez un petit ruisseau. Vous entendez l'eau couler, heurter les cailloux et vous voyez des morceaux de ciel bleu entre les feuilles des arbres. Les écureuils grimpent sur les troncs d'arbres devant vous. De quelle couleur sont-ils ? Les oiseaux gazouillent dans les branches au-dessus de votre tête et vous entendez le craquement des brindilles et des feuilles sous vos pieds. Vous êtes bien, très détendu.*

3 *Un peu plus loin, les arbres s'écartent et vous pénétrez dans une grande clairière. Le ruisseau traverse la clairière et vous sentez le parfum entêtant des fleurs des bois. La clairière est paisible, hormis le bruit de l'eau et de rares chants d'oiseaux.*

4 *Étendez-vous au sol et relaxez-vous complètement. Laissez-vous imprégner de la chaleur du soleil. Vous êtes en sécurité ici et libre d'agir comme bon vous semble. Restez là le temps que vous voulez, jusqu'à ce que vous soyez à la fois reposé et revivifié.*

5 *C'est le moment, si vous le souhaitez, de rencontrer votre guide. Détendez-vous et attendez que votre guide — un homme, une femme ou un animal — arrive dans la clairière. Saluez-le puis prêtez une attention particulière à ce qu'il dit. Vous pouvez également lui poser des questions sur les sujets courants ou spirituels.*

6 *Quand vous avez terminé, remerciez votre guide et trouvez votre chemin pour sortir de la clairière et revenir dans la forêt. Quittez progressivement votre méditation et ouvrez les yeux.*

Si votre guide ne vient pas à vous cette fois-ci, ne vous inquiétez pas. Il apparaîtra le moment venu.

Méditer pour guérir

Un grand nombre de médecins pensent maintenant que la pratique de la méditation ajoutée à une alimentation équilibrée et à une activité physique suffisante peut améliorer la santé, le style de vie et le bien-être de chacun.

Les avantages de la méditation

La méditation offre divers avantages : elle nous aide à avoir des idées plus claires, à accroître notre potentiel énergétique de façon à travailler plus efficacement et en nous fatiguant moins. Elle nous permet aussi de nous détendre et de prendre du recul par rapport à des situations stressantes afin de mieux les maîtriser et de mieux résister aux

L'esprit a le pouvoir d'exercer une influence sur le corps. Le simple fait de penser à une situation stressante risque de déclencher des réactions négatives.

émotions négatives. Enfin, elle nous aide à mieux nous comprendre et à accepter les situations.

Outre le fait qu'elle améliore notre qualité de vie et nous rend plus heureux, la relaxation issue de la méditation est également excellente pour la santé physique. La pensée positive stimule la production d'endorphines ou d'autres substances euphorisantes. Il ne faut jamais sous-estimer le pouvoir de l'esprit à transformer le corps ; nous devons absolument essayer de penser positivement le plus souvent possible.

La visualisation thérapeutique

C'est ici que la visualisation intervient. Comme nous l'avons vu précédemment, notre corps ne fait pas la distinction entre ce que nous visualisons et la réalité (*voir* page 34). Si nous utilisons la visualisation à bon escient, elle peut occasionner à l'intérieur du corps des changements positifs, susceptibles de traiter des affections bénignes et de nous remettre sur pied.

Beaucoup de gens pensent que la visualisation est également efficace pour soigner des affections plus graves ; il faut cependant savoir qu'elle ne se substitue en aucun cas à un traitement médical. Si vous souffrez d'une maladie grave ou chronique, il convient de consulter un médecin compétent. Toutefois, rien ne vous empêche d'utiliser la visualisation conjointement à un traitement médical. Visualisez, par exemple, un médicament qui agit plus efficacement, ou bien imaginez-vous rayonnant et en pleine forme. Discutez de vos intentions avec votre médecin pour effectuer un travail commun.

La recherche actuelle

Des études sont en cours pour déterminer les effets éventuels de la méditation sur la santé mais, comme nous l'avons mentionné précédemment, un nombre croissant de médecins traditionnels recommandent à leurs patients des exercices de relaxation et de méditation pour les aider à combattre le stress et les maladies qui en découlent (*voir* page 5). Les recherches cliniques se poursuivent mais, en parallèle, les pratiques de méditation associées à un changement d'alimentation

De nombreux médecins conseillent maintenant la méditation et la relaxation comme antidote efficace au stress.

et de mode de vie ont prouvé leur efficacité pour :

- apaiser les migraines

- combattre l'insomnie

- soulager les dysfonctionnements intestinaux

- soulager le syndrome prémenstruel

- calmer l'anxiété et diminuer les crises d'angoisse

- abaisser le taux d'hormones du stress

- améliorer la circulation sanguine

- réguler le pouls

- abaisser la pression artérielle

- contrôler la respiration

- calmer les crampes d'estomac

- faciliter la digestion

- soulager la dépression

- activer la mémoire

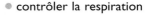

Les divinités de toutes les religions sont représentées en état de méditation, une coutume qui illustre bien l'importance de la méditation dans la pratique spirituelle. Cependant, elle sert aussi à atteindre au bien-être mental, émotionnel et physique.

Le développement personnel

Outre ses nombreux bienfaits sur la santé physique d'un individu, la pratique de la méditation est également utilisée en psychothérapie, en particulier dans les domaines du développement personnel et de la connaissance de soi. Grâce à la méditation, beaucoup ont appris à mieux se connaître et à mieux comprendre la nature de leurs relations avec les autres. Une pratique régulière permet d'augmenter son assurance et l'estime de soi, de s'affranchir des blessures passées et de mieux apprécier la vie, professionnelle ou privée. Nous apprenons ainsi à maîtriser nos peurs et à dissiper nos doutes, à nous faire un ami précieux de la voix intérieure critique qui est en nous.

L'usage thérapeutique de la visualisation

Inutile d'attendre d'être malade pour pratiquer des visualisations thérapeutiques : il est, au contraire, bien plus utile et efficace de commencer lorsque vous êtes en pleine forme. La santé demande à être protégée ; associée à une alimentation saine et à un sommeil réparateur, la visualisation vous aidera à rester en pleine forme et prévenir les maladies. Elle permet aussi de mieux écouter son corps et d'interpréter ses transformations physiques. L'exercice « guérir le corps » (ci-dessous) est destiné à vous maintenir en forme comme à soigner une partie de votre organisme.

Guérir le corps

Cet exercice est excellent pour purifier, guérir et revitaliser le corps dans son ensemble. Habillez-vous de vêtements amples et confortables avant de vous mettre à l'œuvre.

1 *Prenez la posture assise ou allongée (voir pages 14-15), celle qui vous convient le mieux. Si nécessaire, vous pouvez aussi pratiquer cette visualisation debout ou en marchant (voir page 26).*

2 *Laissez votre corps se relaxer et respirez normalement. Si vous ne marchez pas, fermez les yeux pour faciliter votre concentration.*

3 *Passez en revue votre corps et éliminez une à une les tensions qu'il renferme. Commencez par le sommet de la tête, puis déplacez votre attention vers le front. Détendez les sourcils et les paupières, les oreilles, les narines, la bouche et la mâchoire, puis le cou, les épaules, les bras et les mains. Concentrez-vous ensuite sur la poitrine et le cœur, puis l'estomac, l'abdomen, les fesses et les organes génitaux et enfin, les jambes et les pieds.*

4 *Quand vous êtes complètement détendu, commencez le traitement. Imaginez que vous êtes debout sous une douche de lumière d'un bleu blanchâtre. Cette lumière vous pénètre par le sommet de la tête, puis se répand dans votre corps en le nettoyant de ses impuretés. Sentez-la inonder votre tête et votre cou, se disperser dans vos épaules, emplir vos bras et vos mains. Laissez-la descendre dans votre poitrine, votre dos, votre torse, puis dans vos jambes et vos pieds. Sentez-la chasser toutes les impuretés et les toxines de votre corps, et si certaines parties de votre corps nécessitent un traitement spécial, concentrez-vous dessus et laissez la lumière les purifier. Laissez agir la lumière jusqu'à ce que vous ayez la sensation que tout votre corps a été purifié. Il sera peut-être nécessaire de répéter ce processus plusieurs fois avant de vous sentir complètement purifié.*

5 *Lorsque la lumière vous a nettoyé et purifié, laissez-la chasser les impuretés de votre corps par la plante de vos pieds ; elles s'enfonceront ensuite dans la terre où elles disparaîtront.*

6 *Après cela, laissez la lumière revenir dans vos pieds et se répandre dans votre corps, le chargeant d'une énergie curative et revitalisante. Sentez-la s'élever dans vos jambes et votre torse, faisant vibrer votre colonne vertébrale. Sentez-la couler dans votre cœur et votre poitrine, dans vos bras et vos mains, puis dans vos épaules et votre cou. Finalement, laissez-la inonder votre visage jusqu'au sommet de votre tête. Si une partie de votre corps nécessite un soin particulier, laissez la lumière vivifiante l'envahir et la guérir. Gardez l'image de votre corps entier inondé de cette lumière curative puis laissez celle-ci sortir de votre tête et s'échapper dans l'univers.*

7 *Prenez quelques instants pour vous relaxer puis respirez lentement et profondément à plusieurs reprises. Lorsque vous êtes prêt, terminez votre méditation et fermez les yeux.*

Note

Si vous trouvez la lumière bleu blanchâtre difficile à visualiser, imaginez de l'eau pure, comme celle d'une source thermale, ou toute autre chose évoquant une force purificatrice. Si vous êtes croyant, visualisez de l'eau bénite ou le souffle curatif d'une divinité.

Couleur et lumière

La couleur et la lumière exercent une grande influence sur nous et sur de nombreux aspects de notre vie. Les couleurs affectent notre humeur et sont associées à des émotions particulières : le rouge est souvent lié à la colère, le bleu à la paix et la détente, le jaune au discernement. Nous attribuons également diverses qualités aux couleurs ; nous associons, par exemple, la richesse au jaune d'or. La lumière a aussi beaucoup de pouvoir ; elle peut affecter notre humeur, l'apparence des choses et la manière de voir ce qui nous entoure.

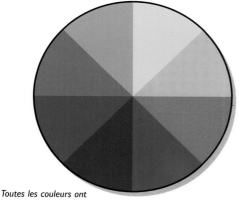

Toutes les couleurs ont des qualités négatives ou positives.

Le pouvoir de la couleur

Il est important de ménager un bon équilibre de toutes les couleurs dans votre vie. S'il manque une couleur, elle peut représenter un aspect de votre vie que vous avez du mal à accepter. Par exemple, s'il n'y a pas de bleu dans votre garde-robe et votre maison, vous avez peut-être des problèmes de communication ou de créativité. De même, si une couleur est trop présente, l'énergie qui lui est associée risque de dominer votre vie au détriment des autres énergies. Les couleurs servent à revivifier votre corps et votre esprit ainsi qu'à créer un équilibre dans votre environnement. Vous pouvez aussi les utiliser pour vous soigner en exploitant leurs qualités intrinsèques. L'interprétation des énergies colorées varie selon les peuples, les cultures, les thérapies et les religions, mais le tableau ci-contre présente les interprétations les plus répandues dans le monde entier.

La couleur or et le métal lui-même sont associés à la richesse.

Les couleurs et leurs attributs

Couleur	Équilibre	Déséquilibre
Rouge	Monde matériel, statut, survie, courage, force physique et vitalité	Cupidité, colère, cruauté, vulgarité, violence
Rose	Empathie, chaleur, stimulation, loyauté	Égoïsme, inconstance et égotisme
Orange	Énergie sexuelle, sensualité, bonheur, optimisme et amitié	Perte d'énergie sexuelle ou obsession sexuelle, fatigue, pessimisme
Jaune	Amour de soi, volonté, détermination, confiance, force intérieure, énergie psychique, vivacité mentale et intellectuelle	Manque de discernement et de concentration, entêtement, rigidité et sournoiserie
Vert	Émotions dont l'amour et la sympathie, relations, harmonie, liberté, croissance et renouveau	Jalousie, possessivité, insécurité, peur du changement, retour au passé
Turquoise	Guérison, éloquence et expression libre, indépendance et protection	Allergies et autres troubles du système immunitaire, tendance à se laisser facilement influencer, expression libre restreinte et vulnérabilité
Bleu	Communication, créativité, inspiration, expression, paix, confiance, dévouement, sincérité et relaxation	Mensonge, suspicion, méfiance, tristesse incapacité à communiquer
Indigo	Imagination, intuition, pensée claire, rêve, mystère et discrétion	Paranoïa, cauchemars, confusion et tromperie
Violet	Compréhension, conscience suprême, développement spirituel, lien avec le divin, idéalisme, vénération et engagement	Incompréhension et erreur d'interprétation, fanatisme, domination, adhésion à des croyances éculées et manque de foi
Argent	Clairvoyance, le subconscient, fluidité et transformation	Suggestibilité et instabilité
Or	Richesse, abondance, spiritualité, idéaux élevés, plaisirs et loisirs	Avarice, pauvreté, apathie, paresse et recherche excessive du plaisir
Blanc	Ordre, achèvement, clarté, pureté, complétude, simplicité et innocence	Rigueur, extrémisme, propreté obsessionnelle, puritanisme et naïveté
Marron	Stabilité et permanence, ingéniosité et éducation	Dépression, ennui et inaptitude au changement
Noir	Grand pouvoir, connaissance de soi, discernement et jugement	Tyrannie, préjudice, aveuglement refus de la compromission

Trouver un juste équilibre

Comme on le voit sur le tableau de la page 45, il est possible qu'une couleur soit trop présente et une autre pas assez. La méditation permet d'harmoniser ces énergies colorées. La « méditation de l'exploration des couleurs » (ci-dessous) vous aidera à vous familiariser avec différentes énergies colorées. Vous pouvez également l'approfondir et explorer les sentiments éprouvés à propos de chaque couleur à mesure que leur énergie émerge.

Approfondir l'exploration

Vous pouvez compléter la méditation ci-dessous en utilisant différentes teintes d'une même couleur. Par exemple, si votre bleu est pâle cette fois-ci, imaginez un bleu plus intense ou plus sombre la fois suivante. Essayez de repérer les changements qui surviennent dans leurs énergies et notez ce que vous ressentez car certaines couleurs risquent de présenter pour vous des qualités différentes de celles décrites sur le tableau.

Méditation de l'exploration des couleurs

Cet exercice est excellent pour améliorer votre concentration. Il vous donnera également un aperçu des énergies des différentes couleurs et de ce que ces énergies signifient pour vous en tant qu'individu.

1 *Prenez une posture assise ou en tailleur (voir pages 14-15) ou une posture debout (voir page 20).*

2 *Respirez normalement et si cela vous aide à vous concentrer, fermez les yeux.*

3 *Pensez à la couleur rouge. Visualisez une bulle d'énergie rouge tout autour de vous. Sentez la bulle rouge se dilater et se contracter à mesure que vous inspirez et expirez. Comment ressentez-vous l'énergie ? Le rouge paraît-il clair, sombre, vif ou terne ?*

4 *Pensez maintenant à la couleur rose. Imaginez-vous à l'intérieur d'une bulle rose. De quelle teinte de rose est cette bulle ? Quels sentiments suscite-t-elle ? Comment ressentez-vous l'énergie ?*

5 *Maintenant, faites la même chose avec les couleurs suivantes : orange, jaune, vert, turquoise, indigo, violet, argent, or, blanc, marron et noir.*

6 *Lorsque vous avez terminé, stoppez la méditation. Notez tous les sentiments éprouvés à propos des couleurs et de leurs énergies, particulièrement les goûts ou les dégoûts.*

En vous concentrant sur chaque couleur, ayez conscience des sentiments qu'elles évoquent en vous.

La couleur pour résoudre les problèmes

Attribuer une couleur aux gens ou aux situations permet parfois de mieux les comprendre. Par exemple, visualisez un collègue avec qui vous avez des problèmes et demandez à votre subconscient une couleur pour décrire cette personne. Si le vert apparaît, demandez-vous s'il y a de la jalousie entre vous. Une fois que vous avez identifié les énergies qui sont en jeu, vous pourrez améliorer les choses.

La couleur et les chakras

Méditer sur différentes couleurs et les sept chakras principaux est un moyen utile de renforcer vos capacités de visualisation et de découvrir le pouvoir de vos chakras. Comme nous l'avons mentionné précédemment, chaque chakra est associé à une couleur et à une énergie (*voir* page 30). Vous pouvez explorer ces énergies et tenter de les ouvrir en pratiquant la « méditation de coloration des chakras ».

Méditation de coloration des chakras

Utilisez cette méditation pour redonner de l'énergie à vos chakras et vous identifier à leurs qualités et aux couleurs qui leur sont associées.

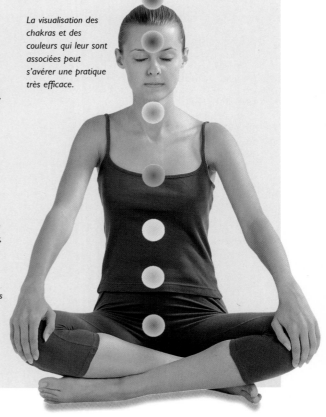

1 *Prenez une posture assise ou en tailleur (voir pages 14-15). Tenez-vous bien droit, la tête dans l'alignement de la colonne vertébrale. Détendez-vous et respirez normalement.*

2 *Visualisez le premier chakra à la base de votre colonne vertébrale. Imaginez la couleur rouge inondant cette zone, sentez l'énergie de cette couleur puissante revitaliser votre chakra. Que ressentez-vous ?*

3 *Concentrez-vous sur le chakra suivant : le chakra sacré, dans l'abdomen inférieur, juste au-dessus de vos organes génitaux. Visualisez un orange vibrant qui inonde cette zone et sentez son énergie revitaliser le chakra. Cette énergie est-elle différente de celle du chakra racine ?*

4 *Passez aux autres chakras : utilisez du jaune pour la zone du plexus solaire ou du nombril, puis du vert pour le cœur, du bleu pour la gorge, de l'indigo entre les yeux et du violet au sommet de votre tête. Comment toutes ces énergies diffèrent-elles les unes des autres ?*

5 *Quand vous avez terminé, respirez profondément plusieurs fois et achevez votre visualisation en douceur. Ouvrez les yeux.*

La visualisation des chakras et des couleurs qui leur sont associées peut s'avérer une pratique très efficace.

Méditer sur le pouvoir de la lumière

Visualiser la lumière lors d'une méditation est un moyen très efficace d'exploiter ses qualités intrinsèques. La lumière a des vertus énergisantes et curatives, comme nous avons pu le voir dans la « méditation de la fleur dorée » (*voir* page 26) et la méditation « guérir le corps » (*voir* pages 42-43).

Vous pouvez également méditer selon d'autres manières sur la lumière. Par exemple, méditer sur la lumière du soleil est très inspirateur et permet aussi de guérir le « blues de l'hiver » ou la dépression saisonnière — cette affection serait due à la privation de lumière qui survient surtout en hiver ou frappe une personne ayant longtemps séjourné dans un endroit sombre.

L'usage de différentes lumières colorées au cours de la méditation révélera certaines énergies. Si vous voulez essayer, pratiquez

Se concentrer sur la flamme d'une bougie permet d'avoir les idées claires.

simplement la méditation de coloration des chakras (*voir* page 47), mais au lieu de visualiser chaque énergie colorée, visualisez la lumière de la couleur appropriée à ce chakra. Ainsi, pour le chakra racine, vous visualiserez la lumière rouge, pour le chakra sacré la lumière orange et ainsi de suite.

Méditer sur la lumière améliore également la concentration. La « méditation de la bougie » (*voir* page ci-contre) est un exercice simple qui calme l'esprit et apporte paix et détente.

Utilisées lors d'une séance de méditation, différentes lumières colorées peuvent révéler différentes énergies.

Méditation de la bougie

Pour cet exercice, vous vous installerez dans une pièce calme et sombre devant une bougie. Une simple bougie blanche ou beige sera parfaite.

1 *Prenez une posture assise, en tailleur ou à genoux (voir pages 14-15). Choisissez celle qui vous semble la plus confortable. Placez une bougie allumée devant vous.*

2 *Détendez-vous, respirez normalement et fixez votre regard sur la flamme. Videz votre esprit de toutes ses pensées et concentrez-vous sur la flamme ; clignez des yeux si nécessaire. Laissez votre esprit ralentir pour atteindre l'état alpha réceptif (voir page 57). Chaque fois que votre esprit essaie de divaguer, ramenez-le doucement mais fermement vers la flamme.*

3 *Continuez cet exercice aussi longtemps que vous vous sentez à l'aise puis quittez progressivement la méditation.*

Notez que cet exercice très connu est destiné en premier lieu à faciliter votre concentration. Vous pouvez toutefois l'adapter pour développer d'autres qualités. Utilisez, par exemple, une bougie d'une couleur spécifique si vous souhaitez explorer une énergie particulière, peut-être une bougie verte pour retrouver amour et harmonie après une dispute (*voir* page 45, « les couleurs et leurs attributs »). Vous pouvez également vous servir de cet exercice pour parfaire vos techniques de visualisation : fermez les yeux à la fin de l'étape 2 et essayez de voir la bougie en imagination avec le plus de détails possible, puis cessez votre visualisation.

La flamme vacillante de la bougie donne à l'esprit agité un sujet de concentration. Cela permet de faire taire le bavardage intérieur et de développer votre pouvoir de concentration.

Le pouvoir du son

Vers la fin du XIXe siècle, les médecins américains découvrirent que certains types de musique pouvaient stimuler le flux sanguin. Depuis, la médecine n'a cessé de s'intéresser aux qualités thérapeutiques du son.

Comment le son nous affecte-t-il ?

Tout comme la couleur et la lumière ont une influence sur notre humeur, le son a le pouvoir d'affecter nos émotions. Il peut nous atteindre au plus profond de nous et changer nos réactions face à une situation donnée.
Le son est composé d'ondes de pression qui résonnent à différentes fréquences. Ces différents niveaux sonores nous touchent de plusieurs manières. Par exemple, un son aigu, comme un cri, mettra nos nerfs à vif et provoquera une tension, tandis que le son léger de l'eau qui coule d'une fontaine aura pour effet de nous apaiser et de nous détendre. De la même manière, une belle musique douce inspire à la créativité, alors qu'une musique forte, sourde, est irritante et source de stress. Dans des cas extrêmes, une musique très puissante provoque des migraines et altère l'audition.

Il existe bien sûr des exceptions ; certains sons irritants, chaotiques nous insufflent de l'énergie ou stimulent notre créativité. Par exemple, les sons enchanteurs du *Boléro* de Ravel ont été inspirés par le bruit lancinant des machines d'une scierie.

Cependant, il est préférable d'essayer le plus souvent possible d'améliorer la qualité du son environnant afin d'être plus détendu et d'éviter d'ajouter à notre existence un stress indésirable. Nous agirons ainsi avec plus d'efficacité, notre qualité de vie sera améliorée et nous serons plus heureux.

Nous sommes attirés par les cascades car le bruit de l'eau qui s'écoule a un effet apaisant.

La musique classique apaise l'esprit et parfois même, l'inspire.

Le son qui guérit

Les recherches sur le pouvoir thérapeutique du son se poursuivent, mais il est désormais tenu pour acquis que certaines ondes sonores affectent le pouls, la respiration et la pression artérielle, et intensifient également notre capacité à penser. Les thérapeutes employant le son utilisent des appareils pour envoyer des ondes sonores vers les parties malades du corps et également pour stimuler la perception auditive de leurs patients autistes. Des études effectuées dans les années 1980 et 1990, aux États-Unis et en Europe, ont montré que la musique pouvait diminuer le stress chez l'individu et l'aider à guérir plus rapidement d'une maladie. Les musicothérapeutes sont de plus en plus sollicités pour traiter les patients souffrant de troubles d'assimilation intellectuelle et d'autres handicaps mentaux ou physiques. En effet, la musique incite ces personnes à trouver des moyens de s'exprimer et parvient même à soulager leur douleur.

Exploiter les qualités du son

Il existe maintes façons d'utiliser le son dans une pratique méditative, par exemple, une belle musique jouée en fond sonore. Les pièces instrumentales conviennent mieux pour ce genre d'exercice et on peut choisir la musique classique ou New Age douce. Les bruits de la nature, comme celui des vagues s'échouant sur la grève, créent aussi une atmosphère favorable. Quel que soit le son choisi, essayez de méditer avec une attention soutenue (*voir* page 18). En d'autres termes, ayez conscience de chaque son à mesure qu'il survient afin de l'apprécier plus intensément.

Le son pour résoudre les problèmes

Comme la couleur (*voir* page 19), le son peut aider à comprendre les gens ou les situations. Si vous avez de la difficulté à comprendre quelqu'un, imaginez cette personne et demandez à votre subconscient de la définir par un son. Un murmure laissera supposer que la personne est timide ou peu sûre d'elle, un grondement qu'elle est dominatrice ou insensible. Le son et l'interprétation que vous en faites donnent des indications sur vos sentiments et vous met dans de meilleures dispositions pour améliorer vos relations.

Le son intérieur

Les mélopées ou les mantras (*voir* page 24) reposent l'esprit et créent une sensation de paix et de tranquillité. Les vibrations, ressenties dans tout le corps, provoquent un état de béatitude et d'euphorie. Expérimentez quelques sons et mantras puis analysez l'effet des différentes vibrations sonores à l'intérieur de votre corps.

La « méditation de sonorisation des chakras » relie les vibrations sonores aux sept chakras principaux (*voir* page 28). Comme la « méditation de coloration des chakras » (*voir* page 47), elle permet de vous identifier à vos chakras et de libérer leur énergie.

Méditation de sonorisation des chakras

Cette méditation se pratique dans un endroit calme où aucun son parasite ne risque de venir perturber votre concentration.

1 Prenez une posture assise ou en tailleur (voir page 14-15). Détendez-vous et respirez normalement. Visualisez le chakra racine, à la base de votre colonne vertébrale. Proférez un son long « DO » le plus grave possible. Imaginez que ce « DO » vient du chakra lui-même. Laissez-le vibrer au moins 10 secondes. Que ressentez-vous ?

2 Concentrez-vous sur le chakra sacré dans votre abdomen inférieur. Proférez un long son « RÉ » un peu moins grave. Laissez-le vibrer au moins 10 secondes et essayez d'imaginer qu'il provient du chakra. En quoi l'énergie de ce son diffère-t-elle de celle du son « DO » ?

Pratiquer le chant ou réciter des mélopées en groupe peut intensifier le pouvoir des sons.

3 Fixez maintenant votre attention sur le plexus solaire et proférez un long son « MI » un peu moins grave que le son précédent. À nouveau, et durant toute la méditation, tenez le son au moins 10 secondes. Que ressentez-vous ?

4 Concentrez-vous sur le chakra du cœur et proférez un long son « FA » un peu plus aigu que le son « MI ». Sentez les vibrations provenant de la région du cœur. Comment ressentez-vous cette énergie ?

5 Procédez à l'identique pour le chakra de la gorge en proférant le son « SOL » un peu plus aigu que le précédent. Ressentez-vous une différence d'énergie à mesure que la tonalité devient plus aiguë ?

6 Concentrez-vous sur votre chakra frontal et proférez un long son « LA » un peu plus aigu. Puis concentrez-vous sur le chakra couronne et proférez le son « SI », le plus aigu de tous. Que ressentez-vous ?

7 Enfin, restez absolument silencieux. Écoutez les sons qu'émet votre corps de l'intérieur. Accordez-leur une attention particulière car ils vous aideront à avoir une meilleure conscience de votre corps. Respirez profondément et terminez votre méditation.

Note

Vous pouvez choisir n'importe quels sons tant qu'ils sont monosyllabiques, résonnent dans le corps et deviennent plus aigus à mesure que vous gravissez l'échelle des chakras.

Méditer
sur les odeurs

Depuis l'Antiquité, nous avons mis en relief le pouvoir émotif des senteurs et nous utilisons dans nos rituels l'encens comme les huiles essentielles. Ils agissent sur notre humeur et ont la capacité d'évoquer des images et des endroits lointains.

Comment les odeurs nous affectent-elles ?

L'odorat est très sensible et agit comme un système d'alarme préventif en repérant tout danger susceptible de vous nuire. Par exemple, s'il y a de la fumée dans votre maison, votre nez vous incite à aller voir si le feu s'est déclaré quelque part.

Le nez détecte une odeur que l'esprit associe à une image ou à une idée. Si le nez

L'odorat est le sens le plus évocateur. Un arôme simple comme celui du citron peut instantanément faire apparaître l'image d'une personne ou d'un lieu spécifique.

détecte de la fumée, le cerveau l'associe au feu et à l'incendie. Cette relation entre le nez repérant une odeur et le cerveau produisant une image en réponse à cette odeur est ce qui donne aux odeurs le pouvoir d'inspirer l'imagination.

Les effets physiques des odeurs

Les odeurs que nous sentons affectent également le corps, parce que notre corps ne fait pas la distinction entre ce que nous visualisons et la réalité (*voir* page 34). Si nous pensons à quelque chose qui nous rend heureux, le cerveau produit des substances chimiques euphorisantes et nous éprouvons la sensation physique de la joie (*voir* page 35).

Ainsi, nous sommes physiquement affectés par ce que nous sentons. L'odeur est détectée par le nez puis interprétée par le cerveau qui produit une image ou une idée, qui elle-même déclenche une réaction corporelle. Il ne faut donc pas sous-estimer les effets puissants exercés sur nous par les odeurs. Elles peuvent nous rendre de meilleure humeur, nous déprimer, nous réconforter ou nous irriter.

Les odeurs curatives

Puisque nous sommes physiquement affectés par ce que nous sentons, il paraît normal que les odeurs soient, depuis toujours, utilisées pour guérir. L'aromathérapie est un art pratiqué depuis 4500 av. J.-C. en Chine. Dans l'Égypte ancienne, les huiles essentielles avaient un usage thérapeutique et servaient aussi à l'embaumement.

Dans la Grèce antique, le célèbre médecin Hippocrate (460-377 av. J.-C.), reconnu comme le « père de la médecine », utilisait des herbes aromatiques et des épices pour soigner ses patients. Le chirurgien grec Galien (130-201 apr. J.-C.) se servait lui aussi d'huiles essentielles (*voir* page 62). Les huiles essentielles, ou liquides aromatiques, étaient élaborées à base de plantes. Au Moyen Âge et à la Renaissance, on utilisait souvent des herbes pour lutter contre les maladies et nombreux étaient ceux – grands de ce monde

Hippocrate utilisait des plantes médicinales pour soigner ses malades.

ou médecins – qui encourageaient l'usage des herbes aromatiques, des épices et des huiles.

Depuis lors, de nombreux chimistes européens ont publié des études sur les usages thérapeutiques des huiles essentielles, et aujourd'hui, l'aromathérapie a gagné ses lettres de noblesse dans le traitement de certaines affections et le maintien du corps en bonne santé.

Les arômes des herbes et des fleurs influent beaucoup sur nos émotions et notre bien-être.

Les essences florales sont utilisées depuis des années pour traiter les déséquilibres émotionnels ; aujourd'hui, l'aromathérapie est une thérapeutique largement répandue.

Exploiter le pouvoir des odeurs

Pour la méditation, les odeurs s'utilisent de diverses manières. L'encens, par exemple, permet de créer une ambiance propice à cette pratique. Vous pouvez également faire brûler des huiles essentielles dans un brûle-parfum. Remplissez le réservoir d'eau, ajoutez quelques gouttes d'huile essentielle de votre choix puis allumez la bougie située dessous : votre lieu de méditation sera immédiatement baigné de la senteur que vous aurez choisie. Vous trouverez encens et huiles essentielles dans les magasins ethniques, les herboristeries, les boutiques de diététique ou encore sur certains marchés.

L'encens, employé dans de nombreuses cérémonies religieuses, peut ouvrir l'esprit à la méditation.

Faites brûler une huile essentielle pendant que vous pratiquez la méditation « guérir le corps » (*voir pages 42-43*) ; c'est un moyen très efficace de soulager le corps et l'esprit. Vous pouvez également en ajouter quelques gouttes à l'eau de votre bain et pratiquer une méditation curative tout en vous baignant.

Le tableau de la page ci-contre recense les principales huiles essentielles et leurs qualités en relation avec la méditation. Rappelez-vous qu'elles sont très fortes et que certaines sont déconseillées aux enfants, aux femmes enceintes ou qui allaitent, aux convalescents ou à toute personne souffrant d'une maladie grave. Si vous avez le moindre doute, consultez un aromathérapeute.

Les huiles essentielles créent une ambiance propice à la méditation ou la relaxation.

De nombreuses herbes aromatiques, comme l'ylang-ylang et la bergamote, ont des vertus médicinales.

Les huiles essentielles et leurs vertus thérapeutiques

Huile	Action	Vertus thérapeutiques
Bergamote	Tonique, rafraîchissante, calmante, énergisante et revitalisante	Soulage le stress, restaure l'appétit, apaise l'anxiété et soigne la dépression
Cyprès	Purifiant, apaisant et revigorant	Calme le système nerveux et soulage les symptômes de la ménopause, du rhume des foins et du stress
Géranium	Tonique et équilibrant	Apaise la tension prémenstruelle et la dépression, calme le système nerveux et remonte le moral
Gingembre	Réchauffe, facilite la circulation sanguine, propriétés relaxantes et antitussives	Prévient et soulage le mal des transports et la nausée, stimule le système immunitaire pour lutter contre les rhumes, soulage la toux, apaise l'appareil digestif et améliore la circulation sanguine
Pamplemousse	Relaxant, purifiant, tonique et équilibrant sur le plan émotionnel	Permet de réguler les émotions, d'apaiser le stress et la colère, de soigner les rhumes et les problèmes respiratoires
Genièvre	Purifiant, stimulant, tonique, rassurant et apaisant	Permet de clarifier les idées et améliore la concentration, soulage les maux et les douleurs, apaise le corps et l'esprit
Lavande	Relaxante, apaisante, réconfortante, équilibrante, purifiante et harmonisante	Permet de diminuer l'hypertension, le stress et les migraines dues aux tensions ; particulièrement apaisante pour les jeunes accouchées
Citron	Purifiant, rafraîchissant et stimulant	Diminue la fatigue mentale et le stress, stimule la concentration et améliore la circulation sanguine
Orange	Relaxante et apaisante	Permet de prévenir le mal des transports, facilite la digestion et soulage le stress et les migraines
Bois de santal	Purifiant, relaxant, équilibrant, aphrodisiaque et décongestionnant	Calme le système nerveux, apaise les troubles émotionnels, équilibre le corps et l'esprit et détend l'esprit avant une méditation
Ylang-ylang	Calmant, tonique, équilibrant, revigorant et aphrodisiaque	Utile pour traiter les troubles sexuels, prévient l'hyperventilation, calme l'anxiété, régule le pouls, diminue les crises d'angoisse et soigne la dépression

La méditation
contre le stress

Parfois, même en étant bien organisé, le rythme de notre vie s'accélère et le stress fait son apparition. Les embouteillages, les coups de téléphone impromptus et les événements imprévus bouleversent notre quotidien. Des problèmes surgissent qui paraissent insurmontables. Dans ces moments-là, lorsque vous voyez votre sérénité mentale s'évanouir, mettez-vous à pratiquer ces méditations rapides.

Méditer en route

Cette méditation est particulièrement indiquée pour éliminer le stress lorsque vous allez être en retard. Vous pouvez la pratiquer dans le train, dans le car, dans un embouteillage, mais pour votre sécurité, ne conduisez pas en même temps !

1 *Laissez tout votre corps se relâcher, détendez toutes les zones de tension et respirez profondément deux ou trois fois.*

2 *Acceptez l'idée que vous avez tout mis en œuvre pour rattraper le temps perdu. Vous ne pouvez rien faire de plus pour accélérer les choses.*

3 *Concentrez-vous sur votre respiration et visualisez l'angoisse ou l'inquiétude qui s'échappe à chaque expiration. Ne la suivez pas, laissez-la partir.*

4 *Chaque fois que cette angoisse essaie de revenir, neutralisez-la et ramenez votre esprit à son calme et sa paix intérieures. Si le bourdonnement persiste, répétez le mantra « PAIX » à chaque expiration.*

En quelques instants, la visualisation transporte l'esprit dans un environnement des plus paisibles.

Une chose à la fois

Si vous êtes submergé de travail, cette méditation procure un soulagement rapide. À long terme, il vaut mieux alléger votre charge de travail (*voir* page 10) et déterminer des priorités.

1 Arrêtez ce que vous êtes en train de faire et détendez-vous quelques instants. Éliminez les tensions et respirez normalement.

2 Acceptez l'idée que vous ne pouvez pas tout faire en même temps mais une seule chose à la fois. Décidez de vous concentrer sur une seule tâche et balayez le reste de votre esprit. Chaque fois que celui-ci tente de penser à d'autres choses en attente, recentrez-le sur la tâche sélectionnée.

3 Concentrez-vous maintenant sur cette tâche avec une attention soutenue (voir page 18). Soyez conscient de tout ce qui la concerne et mettez tous vos sens en éveil : la vue, l'odorat, le toucher, etc. Regardez-vous tranquillement en train d'accomplir la tâche jusqu'à ce qu'elle soit terminée, puis passez à la suivante et procédez de même.

Une plus grande image mentale

Cette visualisation est particulièrement indiquée si vous vous sentez frustré ou stressé. Elle vous permettra d'élargir votre prise de conscience et de mettre vos problèmes en perspective. Avec un certain entraînement, vous devriez être capable de la pratiquer en quelques secondes.

1 Faites une pause, prenez conscience de vous-même et de tout ce qui se passe autour de vous.

2 En même temps, élargissez votre prise de conscience de façon à sentir tout ce qui se passe à deux-trois kilomètres à la ronde. Essayez de tout voir : les gens dans le bus, dans les immeubles, qui travaillent dans les champs – où que vous soyez, laissez votre esprit s'imprégner de tout cela.

3 Agrandissez progressivement l'image que vous voyez de façon à englober tout le pays. Imaginez les gens dans leur vie quotidienne au nord, au sud, à l'ouest et à l'est, partout, en ville comme à la campagne.

4 Augmentez encore votre prise de conscience jusqu'à ce que votre pays devienne une forme sur la planète Terre. Regardez la planète se déplacer dans l'espace. Observez les minuscules continents et mers qui se dessinent sur sa surface. Ayez conscience d'être là, mais si petit que vous êtes devenu invisible.

5 Ce qui vous a inquiété est maintenant devenu très petit comparé à cette vue de la planète. Essayez de conserver cette perspective tandis que vous revenez sur vous-même : dites-vous que cette situation est vraiment insignifiante et que vous êtes capable de la maîtriser.

En agrandissant l'image que vous avez du monde, vous aurez plus de facilité à mettre vos problèmes en perspective.

La bulle protectrice

Si vous vous sentez vulnérable, intimidé ou simplement en mal de protection, essayez cette visualisation. Cela vous permettra de vous éloigner de la source de votre tourment et de vous sentir en sécurité.

1 *Évacuez les tensions accumulées dans votre corps, relaxez-vous dans la position où vous êtes.*

2 *Imaginez une bulle de lumière bleu-blanc tout autour de vous. Vous êtes en sécurité à l'intérieur. La bulle est chargée d'une énergie protectrice éblouissante. Elle bouge en même temps que vous et, bien qu'elle soit moelleuse à l'intérieur, elle est solide à l'extérieur et vous abrite de ce qui vous angoisse. Elle maintient à distance la source de vos tourments.*

Éliminez consciemment la tension installée dans chaque partie de votre corps pour atteindre un état de relaxation totale.

3 *Une fois à l'intérieur de la bulle, concentrez-vous sur votre respiration. Visualisez la lumière bleu-blanc qui entre et sort de vos pores au fil de vos inspirations et expirations. La lumière vous inonde de sa force et de son énergie.*

4 *Conservez la bulle autour de vous jusqu'à élimination complète des tensions ; vous devez vous sentir totalement à l'aise.*

Prendre de l'assurance

Cette visualisation vous permettra d'affronter les situations difficiles avec sérénité. Si vous avez besoin de calmer vos nerfs et de reprendre confiance en vous, pour un entretien d'embauche par exemple, ou pour parler en public, cette méditation vous est destinée.

1 *Libérez toutes les tensions qui sont en vous. Respirez profondément deux ou trois fois, puis respirez à nouveau normalement.*

2 *Visualisez-vous en train d'aborder cette situation difficile avec confiance. S'il s'agit d'un entretien d'embauche ou d'un discours, imaginez-vous en train d'entrer dans la pièce avec assurance. Vous êtes très détendu et parlez librement à votre interlocuteur ou à votre public. L'échange est très positif, votre auditoire est très enthousiaste quand vous prenez la parole. À la fin, il semble avoir été captivé par ce que vous avez dit et vous êtes satisfait de votre prestation.*

3 *Gardez cette image à l'esprit le plus longtemps possible. Pour intensifier cette visualisation, essayez de répétez une affirmation positive comme « je peux me débrouiller » ou « je suis très sûr de moi » (voir page 20).*

Note

Vous pouvez également pratiquer cette méditation pour surmonter l'anxiété causée par un examen. Remplacez l'étape 2 par celle-ci : imaginez que vous vous sentez parfaitement à l'aise par rapport à cet examen et que vous parlez ou écrivez avec beaucoup d'assurance. Vous êtes détendu et heureux ; tout se déroule en douceur, sans heurt. À la fin, vous éprouvez une immense satisfaction et vous êtes sûr de réussir.

Lorsque vous êtes tendu, accordez-vous quelques minutes pour visualiser une nouvelle confiance en vous.

Glossaire

Adrénaline
Hormone qui prépare l'organisme à la réaction « combat/fuite » de l'organisme. Sécrétée par la glande surrénale, elle a une influence énorme sur les muscles, la circulation et le métabolisme des glucides. Le rythme cardiaque s'accélère, la respiration devient rapide et saccadée, le métabolisme basal est stimulé.

Affirmation
Formule ou phrase que vous pouvez répéter mentalement jusqu'à ce que cette répétition continuelle devienne vide de sens et que vous ayez seulement conscience du son de cette affirmation dans votre tête. La répétition d'affirmations permet d'apaiser l'esprit et de transmettre des messages à l'hémisphère droit du cerveau, qui traite les sensations et l'intuition. Lorsque l'affirmation atteint le côté droit du cerveau, elle est transformée en sentiment et peut exercer une grande influence sur l'esprit, le corps et le bien-être général.

Aromathérapie
Système thérapeutique basé sur le traitement des affections par des huiles essentielles de plantes ; l'on opère en massant le corps avec des huiles, en ajoutant des huiles à l'eau du bain ou en les faisant brûler pour parfumer l'atmosphère.

Attention
État d'esprit dans lequel nous sommes pleinement conscient de tout ce qui se passe au moment présent. Il accroît la sensibilité, nous permet de ressentir les choses plus intensément, d'être plus averti et curieux, d'exécuter les tâches avec plus d'efficacité.

Ayurveda
Système thérapeutique indien visant à redonner santé et équilibre à l'organisme en le soignant avec des remèdes à base de plantes, un régime alimentaire, des exercices respiratoires, la purification, des postures de yoga et des massages.

Chakras
Centres d'énergie du corps. Ces roues d'énergie spirituelle qui maintiennent un équilibre entre le corps et l'esprit stockent cette force vitale invisible que les yogis appellent prana et les Japonais ki.

Dépression saisonnière
Affection selon laquelle l'humeur d'une personne fluctue au gré des saisons. En hiver, elle se manifeste sous la forme d'une dépression, d'un ralentissement du corps et de l'esprit, d'un appétit et d'un sommeil excessifs. À l'arrivée du printemps, ces symptômes disparaissent. L'exposition à la lumière du jour ou à une source lumineuse intense soulage les symptômes. Ce syndrome n'est pas reconnu comme une maladie clinique.

Endorphines
Composés chimiques dérivés d'une substance provenant de l'hypophyse. Elles sont efficaces pour lutter contre la douleur et procurent des sensations de plaisir. On les appelle parfois « substances du bonheur ».

État alpha
État de conscience que caractérise l'émission par le cerveau d'ondes électriques lentes appelées ondes « alpha ». À l'état alpha, nous sommes moins actifs et plus réceptifs à nos sentiments. L'état alpha survient le plus souvent quand nous nous laissons vivre dans le présent plus que dans le passé ou dans l'avenir.

État bêta

État de conscience que caractérise l'émission par le cerveau d'ondes ondes électriques rapides appelées ondes « bêta ». Dans cet état, nous sommes capables de rationaliser, d'analyser et de penser au passé et à l'avenir. L'état bêta survient généralement quand nous sommes éveillés et dans un état d'esprit actif.

Huiles essentielles

Liquides aromatiques issus de la distillation ou de la pression à froid de végétaux. Très puissantes, elles servent à soigner et à créer des ambiances ou des états d'esprit particuliers.

Kundalini

Énergie dormante stockée dans le chakra racine, que les yogis cherchent à réactiver et à expulser vers les chakras supérieurs.

Mantra

Son, mot ou phrase que l'on répète. La qualité sonore d'un mantra joue un rôle important : celui-ci peut résonner à travers le corps et entraîner une transformation de la conscience. Certaines personnes attribuent aux mantras des pouvoirs magiques.

Musicothérapie

Système thérapeutique naturel selon lequel les patients sont incités à écouter de la musique pour apaiser leur douleur et leur angoisse, et qui permet de traiter un grand nombre d'affections.

Prana

Force énergétique invisible universelle qui imprègne tout. Les Chinois appellent cette énergie *ch'i* et les Japonais *ki*.

Sushumna

Canal central à l'intérieur du corps. Les sept chakras principaux s'articulent sur ce canal et sont reliés aux centres nerveux situés le long de la colonne vertébrale.

Thérapie sonore

Système thérapeutique selon lequel les praticiens travaillent avec la voix ou des instruments électroniques ou musicaux qui engendrent des ondes sonores censées rééquilibrer l'organisme et le guérir.

Index